André Gide

les Faux-monnayeurs

analyse critique

par Geneviève IDT
agrégée des lettres
assistante à l'Université de Paris X

 hatier

ISBN 2 - 218 - 00442 - 9

Sommaire

Introduction

MODE D'EMPLOI DES « FAUX-MONNAYEURS » [1]

« Tant pis pour le lecteur paresseux : j'en veux d'autres. Inquiéter, tel est mon rôle. Le public préfère toujours qu'on le rassure. Il en est dont c'est le métier. Il n'en est que trop. » C'est ainsi que Gide, dans *Le Journal des Faux-monnayeurs*, définit ses intentions et le mode d'emploi de son roman : c'est un livre agressif, qui veut l'inconfort du lecteur, qui le dérange dans ses habitudes, c'est un livre difficile.

Non que le texte soit obscur : « Toutes les grandes œuvres d'art sont d'assez difficile accès. Le lecteur qui les croit aisées, c'est qu'il n'a pas su pénétrer au cœur de l'œuvre. Ce cœur mystérieux, nul besoin d'obscurité pour le défendre contre une approche trop effrontée; la clarté y suffit aussi bien (...) on en vient à douter qu'il y ait là quelque secret; il semble qu'on touche le fond d'abord. Mais on revient dix ans après et l'on entre plus avant encore » (*Journal I*, p. 660). Le texte n'est difficile que parce qu'il se dérobe sous une apparence de gratuité, de facilité, de jeu. Son auteur lui souhaite des lecteurs patients : « Je ne prétends gagner mon procès qu'en appel. Je n'écris que pour être relu » (*JFM*, p. 46). Seule une deuxième lecture ou une étude détaillée permet d'en comprendre l'intérêt. Comme les textes du « nouveau roman », comme certaines œuvres de l'art cinétique, comme le « théâtre vivant », *Les FM* exige du public une participation active, un effort de découverte et même de reconstruction : « Il sied (...) de laisser le lecteur prendre

1. *Les FM : Les Faux-Monnayeurs*. Livre de poche. *JFM : Le Journal des Faux-Monnayeurs*, Gallimard, 1927.

barre sur moi - de s'y prendre de manière à lui permettre de croire qu'il est plus intelligent que l'auteur, plus moral, plus perspicace et qu'il découvre dans les personnages maintes choses, et dans le cours du récit maintes vérités, malgré l'auteur et pour ainsi dire à son insu » (*JFM*, p. 70, 23-II-1922).

Malgré ou à cause de son rythme rapide, *Les FM* ne captive pas comme les grands romans de la durée centrés autour de quelques personnalités vigoureuses : c'est un récit éclaté, les fils de l'intrigue échappent. Les personnages, éclairés de côté, déroutent; le ton change sans cesse, mais demeure ambigu, sans qu'on sache jamais si l'auteur se moque de ce qu'il écrit, sans qu'on puisse vraiment adhérer aux événements et aux personnages, toujours tenus à distance. Dans ces conditions, le texte intéresse plus qu'il ne touche, il incite à entrer dans un jeu intellectuel : il apparaît comme une construction démontable dont il est amusant de découvrir le mécanisme.

Le jeu vaut-il la peine d'être joué ? Mérite-t-il surtout la deuxième lecture que demande Gide ? On pourrait voir de la prétention dans cette exigence de l'auteur. Elle s'explique : Gide a mis six ans à composer son roman; certains thèmes, certains personnages, certains épisodes le hantaient même depuis vingt ans. D'autre part, il avait l'ambition de nourrir son livre de sa vie, de tout y faire entrer. Il a parfois considéré son unique roman comme un testament. Et en effet, plus que *Les nourritures terrestres*, plus que n'importe lequel de ses récits, autant que le *Journal*, ce texte introduit dans l'œuvre et la pensée de Gide. Il y aborde bien des sujets qui lui sont familiers : la révolte contre la famille, les conflits entre les générations, l'homosexualité, la sincérité, la religion, le bien et le mal, les rapports entre la création littéraire et la vie. On y retrouve les personnage désinvoltes ou sacrifiés, ironiques ou grotesques, émus ou cyniques des Soties [1] et des récits. Il y perfectionne son art du détour, du biais, d'une fausse clarté qui déroute et égare, d'une ironie qui cache l'essentiel sous l'accessoire. *Les FM* est peut-être la meilleure introduction à l'œuvre de Gide.

---

1. C'est ainsi que Gide désigne certains de ses récits, parodiques et critiques : *Paludes, Le Prométhée mal enchaîné, Les Caves du Vatican.*

Bien que Gide ait cinquante-sept ans quand le livre paraît, il sert de guide et maître à l' « inquiète adolescence » des années 20 et lui présente son image : celle d'une jeunesse intellectuelle et bourgeoise, tout imprégnée de moralisme chrétien et de culture nationale, mais tentée par la révolte, enfermée dans sa classe sociale, mais attirée par l'exotisme, déchirée entre le désir et le refus de s'intégrer à un groupe, qu'il soit maurrassien ou surréaliste. L'égotisme de Gide peut exprimer et satisfaire un milieu et une génération qui ne voient de salut que dans le progrès moral de l'individu : « Ce n'est point tant en apportant la solution de certains problèmes que je puis rendre un réel service au lecteur; mais bien en le forçant à réfléchir lui-même sur ces problèmes dont je n'admets guère qu'il puisse y avoir d'autre solution que particulière et personnelle » (*JFM*, p. 26, 30-VII-1919).

L'univers des *FM* semble à l'abri de l'histoire, épargné par la guerre et par les crises de l'après-guerre, sorte de refuge intemporel pour une jeunesse privilégiée mais déjà menacée. Gide a achevé son roman avant de partir pour le Congo, avant d'être tenté par le communisme, sans se soucier encore des réponses collectives à des problèmes précis. Encore classique, il prétend donner à son livre une valeur permanente, y poser des questions « éternelles » : « Je ne puis tout à la fois être rétrospectif et actuel. *Actuel*, à vrai dire, je ne cherche pas à l'être, et, me laissant aller à moi-même, c'est plutôt futur que je serais; (...) l'avenir m'intéresse plus que le passé, et plus encore ce qui n'est non plus de demain que d'hier, mais qu'en tout temps l'on puisse dire d'aujourd'hui » (*JFM*, p. 16, 19-VI-1919). Cet humanisme, c'est celui des jeunes Français instruits au lycée et pénétrés de culture classique; les bouleversements sociaux de l'entre-deux-guerres n'ont pas encore remis en question leur foi en une humanité éternelle. A peine commencent-ils à douter des valeurs transmises.

Le roman des *FM* est-il démodé pour autant? Récit sans sujet, systématique et désinvolte à la fois, il tourne en dérision les techniques romanesques qu'il utilise : l'intrigue se réduit à une combinatoire, les jeux d'optique empêchent l'identification du lecteur avec les personnages; les ruptures de ton désamorcent le lyrisme, la présentation indirecte des événements détruit l'illusion romanesque. *Les FM* répond bien à l'objectif que Sartre attribuait en 1947 à « l'anti-roman » : « Il s'agit de contester le roman par lui-même, de le détruire sous nos yeux dans le temps qu'on semble l'édifier, d'écrire le roman qui ne se fait pas, qui ne peut pas se faire ». C'est bien aussi, depuis les années 50, l'ambition du « nouveau roman », et l'étude des *FM* peut introduire à tout un courant du roman français contemporain. Peut-être Gide, dans ce texte, met-il en cause, de l'intérieur, une société et son langage qui sont encore les nôtres. Va-t-il cependant aussi loin qu'il le prétend dans sa contestation ?

Note : Les références aux pages qui figurent dans cet ouvrage renvoient à l'édition du " Livre de Poche ".

Situation
des « Faux-monnayeurs »

Les FM paraît au moment où Gide, libéré d'un certain nombre de difficultés, peut répondre à un besoin de ses contemporains : le roman est en crise, on attend une technique romanesque nouvelle pour exprimer la confusion des valeurs où vivent les intellectuels après la guerre.

1. LES FM. UNIQUE ROMAN DE GIDE

Quel concours de circonstances, quel itinéraire amènent Gide à publier son unique roman à cinquante-sept ans ?

• *Gide de 1919 à 1925*

En 1919, quand il commence à rédiger *Les FM*, Gide vient de vivre des années difficiles. En « l'an de disgrâce 1916 », il s'active sans joie au Foyer d'aide aux réfugiés belges. Il lutte contre des habitudes d'enfance qui l'avaient fait renvoyer quelques mois de l'École alsacienne, à dix ans. Il exprime dans *Numquid et tu* ses inquiétudes religieuses : fils d'un protestant mort jeune et d'une catholique austère, il a toujours été « écartelé » entre la sensualité et le puritanisme. En 1916, ce déchirement le mène jusqu'à la détresse; il n'en sort qu'en prétendant « marier en lui le ciel et l'enfer », en supposant que le mal est un « principe positif, actif, entreprenant » : « Supposé le démon... toute l'histoire de ma vie me fut du même coup éclaircie » (*Journal I*, pp. 608-609, feuillets de 1916).

Cette crise s'est aggravée, en 1916, puis en 1918, d'une mésentente profonde avec sa femme. Il a contracté en 1895 un mariage blanc avec sa cousine, qui lui rappelle la pureté et l'intransigeance de sa mère et qui renforce son sentiment de culpabilité. En 1918, épris du jeune Marc Allégret, il part en voyage avec lui; et sa femme, qui le sait, brûle d'un coup toutes les lettres qu'elle a reçues de lui. Désormais, ils cohabitent en silence, mais la crise est passée.

A partir de 1919, Gide, devenu un maître à penser autant par son rôle d'animateur à la NRF que par ses livres, supporte mal le mensonge de sa vie privée et les bruits qui courent sur sa conversion au catholicisme. Il publie une autobiographie, *Si le grain ne meurt*, et un essai polémique, *Corydon*, en faveur de la pédérastie. Il subit de violentes attaques de la part de H. Béraud et H. Massis qui ne font que l'encourager à la satire des bien-pensants. Un autre événement a pu compter pour lui, sans qu'il ait fait de confidences à ce sujet : la naissance de Catherine, la fille qu'il a eue d'Élisabeth Van Rysselberghe.

● *Un texte autobiographique*

Gide n'a pas tort quand il prétend tout y verser sans réserve : « Tout ce que je vois, tout ce que j'apprends, tout ce qui m'advient depuis quelques mois, je voudrais le faire entrer dans ce roman, et m'en servir pour l'enrichissement de sa touffe » (*JFM*, p. 30, 21-XI-1920). Son expérience semble lui fournir la matière de son livre : comme lui, Boris a perdu son père de bonne heure et a reçu l'éducation d'une mère puritaine qui lutte contre ses habitudes onanistes. Il a été élève dans une école privée et a eu pour instituteur un M. Vedel. On pourrait voir des confidences déguisées dans les réflexions d'Édouard sur la décristallisation ou son amour pour Olivier. La réalité lui a proposé des modèles plus ou moins transposés : Jarry, Paul-Ambroise (Ambroise-Paul Valéry); Passavant est sans doute Cocteau, le pasteur Vedel Elie Allégret. Gide fait aussi des allusions à l'actualité, comme un chansonnier : la Joconde à moustaches, c'est celle qui figurait sur la couverture de la *Revue 391*, dessinée par Duchamp et publiée par Picabia. *Le Fer à repasser* évoque peut-être celui que Man Ray exposait comme objet d'art, hérissé de pointes, sous le nom de *Cadeau*. Une des conversations entre Édouard et La Pérouse évoque la musique nouvelle, qui fait de l'harmonie avec des dissonances.

Il semble surtout, à la lecture du *Journal*, que le réel lui fournisse moins des personnages ou des faits que des phrases, dont il est le seul à connaître toute la portée. Ainsi il a emmené une certaine Bronja à Médrano le 3-I-1923. Il est allé lui-même récemment à Saas-Fee et à Vizzavone, mais peu importe pour le lecteur, car il n'en garde que le nom, comme un signe qu'il se ferait à lui-même. L'expression de Strouvilhou : « Dans un monde où chacun triche », ressemble aux paroles d'un ami de Marc qui vient de se laisser mourir : « On n'a pas le cœur à jouer, dans un monde où tout le monde triche » (*Journal I*, p. 771, 21-XI-1923).

Il se pourrait que chaque fragment du texte, sous son apparence arbitraire, fasse secrètement allusion à un souvenir, qu'il soit écrit en vue d'une complicité avec soi-même.

● *Les FM, reflet de l'œuvre entière*

1919 marque dans la vie et dans l'œuvre de Gide un essai de rupture. *La Symphonie pastorale* lui paraît sa « dernière dette envers le passé » (Billet à Angèle, 1921). Cependant, *Les FM* semble faire la synthèse des œuvres précédentes. Chacune d'elles représentait une tendance de sa personnalité, que, dès 1914, il aurait voulu regrouper : « tous ces sujets se sont développés parallèlement, concurremment - et si j'ai écrit tel livre avant tel autre, c'est que le sujet m'en apparaissait plus « at hand », comme dit l'Anglais. Si j'avais pu, c'est *ensemble* que je les aurais écrits » (*Journal I*, p. 437, 12-VII-1914). En effet, récits et soties ont un but commun : ce sont des livres critiques : « A la seule exception de mes *Nourritures*, tous mes livres sont des livres ironiques ; ce sont des livres de critique » (Feuillets). Dans les deux cas, le support narratif est réduit à un récit linéaire : « Pourquoi j'appelle ce livre *sotie* ? », écrit Gide à propos des *Caves du Vatican*. « Pourquoi *récits* les trois précédents ? pour bien marquer que ce ne sont point là des *romans* » (*Journal I*, p. 437, 12-VII-1914). Or *Les FM* comprend des récits, une sotie, un journal, des fragments de traités. Il apparaît comme un testament : « Il me faut, pour écrire bien ce livre, me persuader que c'est le seul roman et le dernier livre que j'écrirai » (*JFM*, p. 33, 2-II-1921). Les textes postérieurs témoignent d'un intérêt pour les problèmes sociaux qui exclut tout souci d'art. A part *L'École des femmes*, qui l'ennuie, Gide s'occupe surtout de ses voyages, au Congo, en URSS, et de son Journal : « Comment peut-on encore écrire des romans, quand se désagrège autour de nous notre vieux monde, quand je ne sais quoi d'inconnu s'élabore, que j'attends, que j'espère, et que de toute mon attention j'observe lentement se former » (*Journal I*, pp. 1129-1129, 6-VI-1932).

● *La genèse des FM*

Le Journal, le *Journal des Faux-monnayeurs*, la *Correspondance* avec R. Martin du Gard et les *Notes sur André Gide* de Martin du Gard permettent de faire l'histoire des *FM*.

- *Avant 1919* : Gide a, depuis 1893, l'idée d'une composition « en abyme », qui introduit dans une œuvre l'histoire même de cette œuvre. En 1906 et 1909, deux faits divers attirent son attention : *Le Figaro* du 16-IX-1906 relate l'arrestation d'une bande de faux-monnayeurs, des jeunes gens de bonne famille, dont certains ont agi par « idéal humanitaire »; *Le journal de Rouen* du 5-VI-1909 raconte la mort d'un lycéen de Clermont-Ferrand, acculé au suicide par ses camarades, avec toute une mise en scène dramatique.

En 1914, Gide annonce, lors de la publication des *Caves*, la parution d'un « roman » : *Le Faux-monnayeur*. En juin 1919, il commence le *Journal des Faux-monnayeurs*, distinct du *Journal*. Entre-temps, il aborde dans le *Journal* bien des sujets qu'il développera dans son roman : la sincérité, la révolte, l'art en opposition avec la vie, le diable. Il a, dès 1910, l'idée d'un roman touffu et complexe.

- *Du 17-VI-1919 au 3-X-1921*, Gide prépare son roman sans le rédiger, en se ménageant de longues périodes « d'aération ». En même temps, il achève *Corydon* et *Si le grain ne meurt*. Il n'a pas encore de plan définitif, mais il énonce déjà les principes essentiels qui le guideront : les idées seront exprimées en fonction des caractères (17-VI-1919), l'action sera présentée à l'aide de « truchements successifs » (28-VII-1919, 21-XI-1920); le livre aura deux centres, le réel et sa stylisation dans le journal d'Édouard (VIII-1921). Il a aussi des éléments de détail : il présentera un conflit de générations (17-VII-1919), il établit un lien entre l'affaire de fausse monnaie et le suicide du lycéen (17-VII-1919), il fera du diable un personnage important (2-I-1921), il racontera la rencontre qu'il a faite d'un jeune voleur de livres (3-V-1921).

Pendant cette période, l'influence de Martin du Gard, à qui le texte est dédié, a été déterminante : il pousse Gide à réaliser l'œuvre synthétique qu'il projetait depuis longtemps : « Chacun de vos livres exprime (...) un petit coin de vie (...) Mais aucun n'exprime la vie (...) Le jour où vous écrirez l'œuvre large et *panoramique* que j'attends de vous (que vous m'avez parfois semblé attendre vous-même), tout ce que vous avez écrit jusque-là paraîtra une série d'études préparatoires » (*Corr. Gide-Martin du Gard*, pp. 154-155, 22-VII-1920). Si Gide n'arrive pas à terminer ses livres, c'est qu'il manque de hardiesse pour concevoir un « vaste sujet sans limites », un « bel enchevêtrement d'histoires, complexe comme la vie ». Et il lui propose comme modèle *L'Idiot* de Dostoïevski. (*Corr. Gide-Martin du Gard*, id.) Pourtant la conception des deux romanciers est toute différente, comme le montre cette anecdote de 1920 : « Il a pris une feuille blanche, y a tracé une ligne horizontale toute droite. Puis, saisissant une lampe de poche, il a promené lentement le point lumineux d'un bout à l'autre de la ligne : – « voilà votre Barois » (...) « Moi, voilà comment je veux composer mes *FM* ». Il retourne la feuille, y dessine un grand demi-cercle, pose la lampe au milieu et, la faisant virer sur place, il promène le rayon tout au long de la courbe, en maintenant la lampe au point central » (Martin du Gard, *Notes sur André Gide*, p. 37).

Martin du Gard redoute le contrôle de l'intelligence sur la sensibilité, reproche à Gide ses « exercices acrobatiques » : « Quel démon critique vous retient toujours à califourchon sur les vannes de l'écluse, et qui s'amuse à doser avec une science espiègle les échappements de l'eau ? » (*Correspondance*, p. 167, 17-VII-1921).

– *Du 3 octobre 1921 au 8 juin 1925*, Gide rédige *les FM*, sans régularité : il est interrompu par de courts voyages, par ses six conférences sur Dostoïevski, par sa traduction de *Hamlet* et celle du *Mariage du ciel et de l'enfer* de Blake, et il se hâte pour pouvoir partir pour le Congo.

Dès le début de la rédaction, Gide lit et exécute au piano des œuvres déterminantes : il joue *L'art de la fugue* de Bach en décembre 1921. A la même époque, il relit Dostoïevski, Browning, Nietzsche et Blake, qui lui semblent « quatre étoiles de la même constellation ». Il lit sur le freudisme un numéro spécial de la revue du *Disque vert*. Enfin, la lecture de *Tom Jones* de Fielding l'incite à faire intervenir l'auteur dans son récit.

Comment Gide rédige-t-il ? Il écrit le plus souvent au courant de la plume, « et c'est ainsi que *ce* livre doit être écrit » (*Journal I*, p. 703, 1-XII-1921). Il modifie sans cesse son plan : en 1922, il va à rebours : « C'est à l'envers que se développe, assez bizarrement, mon roman » (*JFM*, p. 61, 2-X-1922). Il avoue qu'il « ne sait pas où il va ». Ce n'est qu'en mai 1925 qu'il décide de diviser le livre en trois parties au lieu de deux. Il découvre brusquement, et peut-être par lassitude, un moyen de terminer son livre : « Gide projetait d'écrire plusieurs autres chapitres avant l'achèvement de son livre ; mais l'entrain avait faibli. C'est à ce moment qu'est venue sous sa plume la petite phrase fameuse : « je suis bien curieux de connaître Caloub ». Elle lui a paru être, comme il disait, un si suggestif « mot de la fin », qu'il a aussitôt décidé de s'en tenir là, - enchanté d'être quitte » (Martin du Gard, *Notes sur A. Gide*, p. 30).

Le rôle de Martin du Gard, pendant la rédaction, semble moins positif : il agit surtout comme un frein : il reproche à Gide sa « facilité à compliquer intellectuellement les points de vue du livre », « l'introduction parasite de suppléments « curieux », auxquels on ne pourra prendre qu'un plaisir passager et cérébral » (*Corr. Gide-Martin du Gard*, p. 177, 16-XII-1921). Cependant, même si Gide n'a pas toujours tenu compte des conseils de son ami, leurs discussions ont permis à chacun de préciser sa technique en l'opposant à celle de l'autre. Et Gide le reconnaît en 1928 : « Il fut le seul que je consultai, et dont j'appelai les conseils : je ne notai que ceux contre lesquels je regimbai, mais c'est que je suivis les autres, - à commencer par celui de réunir en un seul faisceau les diverses intrigues des *FM* qui, sans lui, eussent peut-être formé autant de récits séparés » (*Journal I*, p. 879, 17-IV-1928). Ce roman est bien le fruit d'une collaboration entre deux grands écrivains de l'après-guerre.

2. LES FM DANS L'ÉVOLUTION
DES TECHNIQUES ROMANESQUES

Les FM, en 1925, répond à des problèmes très précis que se pose le public français. En même temps, il fait date dans l'évolution du genre, et il semble pouvoir satisfaire aux exigences des lecteurs du « nouveau roman ».

● *Le procès et les incertitudes du roman français en 1925*

En 1924, dans le premier *Manifeste du surréalisme*, Breton fait état d'une confidence de Valéry, décidé à ne jamais écrire : « la marquise sortit à cinq heures ». Le roman, avec ses descriptions inutiles et sa psychologie rationaliste, ne relève que « les moments nuls de la vie ». C'est le début d'une brève querelle sur le roman : *A bas le roman, Défense du roman, Les méfaits du roman, Apologie pour le roman, Le roman en péril, Le roman est-il en danger ?, Le roman n'est pas en danger*, tels sont les titres des articles publiés en 1925. Des revues littéraires, des conférences, les entretiens publiés par Lefèvre à la NRF sous le titre de *Une heure avec...* ont vulgarisé les questions de technique romanesque. Généralement, on reproche au roman, comme Breton et Valéry, de s'attacher à l'insignifiant, de choisir arbitrairement et surtout d'être facile. Beaucoup s'interrogent pour savoir si le roman doit copier le réel ou non, et opposent l'art à la vie. Certains souhaitent, comme Valéry et Gide, un « roman pur », tout comme l'abbé Bremond une « poésie pure » et René Clair un « cinéma pur ». *Les FM* répond à cette attente.

Autour de 1925, on ne sait pas où va le roman français. Le réalisme est concurrencé par les reportages, les nouveaux moyens d'information qui mettent en prise directe sur la vie. Aucune école ne s'impose : il paraît surtout de courts récits d'analyse, de longues nouvelles dramatiques ou fantaisistes : de Cocteau, *Thomas l'imposteur*, de Larbaud, *Amants, heureux amants*, en 1923 ; de Radiguet, *Le bal du Comte d'Orgel*, en 1924. Les cycles des *Thibault* et de *L'âme enchantée* se poursuivent, et l'idéal d'un vaste roman qui exprimerait à la fois la totalité du réel et l'ensemble des procédés romanesques s'impose. Enfin, les frontières entre le roman et la poésie s'estompent; on appelle romans des essais poétiques : Barrès écrit *Le jardin sur l'Oronte*, en 1922; Giraudoux, *Suzanne et le Pacifique* en 1921, *Siegfried et le Limousin* en 1922, *Juliette au pays des hommes* en 1923; Aragon, *Le paysan de Paris* en 1926. C'est peut-être ce qui incite Gide, sans qu'il y parvienne, à chercher une atmosphère « fantastique ».

● *Un « protectionnisme intellectuel » menacé*

Au moment où la presse et l'opinion s'interrogent sur le roman français, on traduit et édite des œuvres étrangères anciennes et récentes, autant pour leurs nouveautés techniques que pour le dépaysement qu'elles apportent. « A ne contempler que sa propre image, l'image de son passé, la France court un mortel danger », dit Gide dans sa sixième conférence sur Dostoïevski. En même temps que son ami Charles du Bos, il contribue à diffuser des textes étrangers. Son *Journal* montre qu'il lit et relit surtout des œuvres de langue anglaise et en tire des techniques précises. De *Sartor resartus*, de Carlyle, il emprunte le goût du commentaire sur le récit. Il admire et cite *L'anneau et le livre* : Browning y pratique la technique du biais, en racontant neuf fois la même histoire vue par des personnages différents qui monologuent. Fielding, dans *Tom Jones*, lui suggère de faire intervenir le narrateur dans le récit. Chez Thomas Hardy, il admire le sens du tragique, qui transporte « le drame sur le plan moral ». C'est aussi l'un des mérites de Dostoïevski, selon lui, que de faire dans l'œuvre la part du diable, car « il n'est point de véritable œuvre d'art sans la collaboration du démon » (*Dostoïevski*, p. 200). Mais il reconnaît en lui bien d'autres traits qu'il voudrait imiter : chez Dostoïevski, l'œuvre « naît d'une rencontre de l'idée et du fait » (p. 128); ses idées « restent presque toujours relatives aux personnages qui les expriment » (p. 122); « tous les personnages baignent dans l'ombre », tandis que l'auteur crée « entre tous les éléments du roman le plus de relations et de réciprocité possibles » (p. 132). Il aime peindre l'informe : les enfants, les êtres encore jeunes, la genèse des sentiments, il est mal à l'aise dans « la psychologie du troupeau ». Bien sûr, Gide avoue lui-même : « Dostoïevsky ne m'est bien souvent ici qu'un prétexte pour exprimer mes propres pensées » (p. 199). Mais il est important qu'il se détourne d'une tradition française à laquelle ses récits antérieurs se rattachaient, soit que, spontanément, il cherche l'évasion, soit qu'il obéisse à une tendance générale en 1925.

● Un précurseur du « nouveau roman » ?

Les FM a souvent été cité par les critiques français et surtout étrangers pour ses innovations techniques. Pourtant, on ne peut parler d'influence directe, évidente, que sur deux textes : *Contrepoint* de Huxley, en 1928, et, de Léon Bopp, *Jacques Arnaut ou la somme romanesque*, en 1933, suivi en 1935 d'une *Esquisse d'un traité du roman*. Depuis que Sartre, en 1947, dans sa préface à *Portrait d'un inconnu*, de N. Sarraute, l'a classé parmi les « anti-romans », on voit souvent dans *Les FM* un précurseur du « nouveau roman ». Mais M. Butor, Ph. Sollers, A. Robbe-Grillet et N. Sarraute nient toute influence. Sans trancher le débat, relevons seulement des points communs entre *Les FM* et certaines œuvres du « nouveau roman ». Dans l'intention d'abord : Gide refuse le réalisme, le récit discursif, et propose au lecteur auquel il demande sa collaboration une reconstruction du texte, comme presque tous les écrivains du « nouveau roman ». Ensuite, Gide relativise les points de vue, de sorte que toute vérité semble impossible à saisir. Enfin, l'essentiel du texte repose sur une réflexion du roman sur lui-même, qui aboutit à sa propre négation. Cette démarche va dans le même sens que les analyses de Blanchot ou de Sollers sur la mort de la littérature. Et la méfiance que Gide entretient à l'égard des mots, l'utilisation constante qu'il fait de la parodie et du pastiche, même si elles tournent court, peuvent préfigurer la contestation que le « nouveau roman » fait du langage.

- *Tableau chronologique*

Dates	Enchevêtrement des intrigues	Présentation indirecte, multiplicité des points de vue	Récits ironiques, intervention du narrateur
1749	Fielding : *Tom Jones*		Fielding : *Tom Jones*
1759			
1760			Sterne : *Vie et opinions de Tristram Shandy*
1796			Diderot : *Jacques le fataliste*
1833-1834		Mérimée : *La double méprise*	
1856			
1865-1869	Tolstoï : *Guerre et Paix* (trad. 1884)		
1866	Dostoïevski : *Crime et châtiment* (trad. 1884)		
1868-1869	Dostoïevski : *L'idiot* (trad. 1887)	Browning : *L'anneau et le livre*	
1879		Meredith : *L'égoïste* (Gide ne l'aime pas)	
1881			
1889			
1891			
1895			
1898		Henry James : *Le tour d'écrou*	

« Mise en abyme »	Romans d'idées	Romans parodiques, récits fantaisistes
		Voltaire : *Candide*
	Carlyle : *Sartor Resartus*	
		Meredith : *Shagpat rasé*
		Flaubert : *Bouvard et Pécuchet*
	Barrès : *Un homme libre*	
Gide : *Cahiers d'A. Walter*	Barrès : *Le jardin de Bérénice*	
Gide : *Paludes*		

Dates	Enchevêtrement des intrigues	Présentation indirecte, multiplicité des points de vue	Récits ironiques, intervention du narrateur
1900		Conrad : *Lord Jim*	
1903		H. James : *Les ambassadeurs*	
1910			
1913			
1914			
1922		Joyce : *Ulysse*	
1924			
1927			
1928		Huxley : *Contrepoint*	
1929		Faulkner : *Le bruit et la fureur*	
1936		Faulkner : *Absalon ! Absalon !*	
1938			
1940			
1945	Sartre : *Les chemins de la liberté*		
1956			
1958		Cl. Mauriac : *Le dîner en ville*	
1959		N. Sarraute : *Le planétarium*	
1960			

« Mise en abyme »	Romans d'idées	Romans parodiques, récits fantaisistes
	Rilke : *Cahiers de Malte Laurids Brigge.*	
		Cocteau : *Le Potomak*
Unamuno : *Brouillard*		Gide : *Les caves du Vatican*
	T. Mann : *La montagne magique* (trad. 1931)	
Proust : *Le temps retrouvé*		
Huxley : *Contrepoint*	Huxley : *Contrepoint*	
		Cocteau : *Les Enfants terribles*
	Sartre : *La nausée*	
	Blanchot : *Thomas l'obscur*	
		Queneau : *Loin de Rueil*
Butor : *L'emploi du temps*		
Butor : *Degrés*		

3. LES FM. EXPRESSION
D'UN NOUVEAU « MAL DU SIÈCLE »

Livre de l'adolescence intellectuelle, *Les FM* paraît au moment où l'après-guerre voue un culte à l'adolescent, où les querelles du surréalisme peuvent rappeler à ceux qui ont eu vingt ans en 1889 l'effervescence du symbolisme.

● *Le temps du* Diable au corps

Quand on a quinze ans à la fin de la guerre, on « met les bouchées doubles », comme Radiguet, le héros de toute une génération avide de vivre, celle qui a « les joues en feu [1] ». Les émois et les révoltes de l'adolescence deviennent un poncif littéraire, traité par Gide en même temps que par Radiguet, Cocteau, Arland, Chadourne, Lacretelle, Martin du Gard, Montherlant, Drieu la Rochelle. Ces nouveaux adolescents n'ont plus rien des langueurs du Grand Meaulnes : ce sont des « enfants terribles ». Comme la génération précédente a été décimée par la guerre, ils se heurtent violemment aux anciens qui ont gardé le pouvoir et s'adaptent mal aux mœurs nouvelles. Toujours anticonformistes, ils refusent les styles de vie du passé et cherchent leur voie dans le cynisme ou dans le mythe de l'aventure. Leur maître à penser, c'est Rimbaud. Dans *Les FM*, Armand et Sarah, plus que Bernard et Olivier, incarnent « l'inquiète adolescence » [2] des années 20.

● *Une adaptation difficile*

Ce culte de l'adolescence chez les intellectuels de tout âge va de pair avec un bouleversement des valeurs traditionnelles. Valéry, Spengler, Unamuno mettent la civilisation occidentale en question. Les changements sociaux et les découvertes scientifiques comme la relativité aboutissent au même résultat : on ne croit plus à la vérité unique et objective ni à la stabilité du monde. Ni la société ni les valeurs ne sont sûres. Seul l'individu, par son instinct et son élan vital que revalorisent, dans des directions différentes, à la fois Bergson et

1. Titre d'un recueil de poèmes de Radiguet.
2. Titre d'un roman de Chadourne, 1920.

Freud, offre des chances de salut. C'est du moins ce que croit toute une classe, celle qui a été élevée dans les valeurs anciennes. Mais elle se sent menacée par la culture de masse, dépassée par un univers qu'elle ne comprend pas et qui lui échappe. Tous ces traits se retrouvent dans *Les FM* : les valeurs traditionnelles y paraissent de la fausse monnaie; on n'y distingue plus le bien et le mal, tout y est relatif. Chaque personnage isolément cherche en vain à se réaliser dans cette confusion, à atteindre l'authenticité; tout effort échoue ou tout rentre dans un ordre dont on sait qu'il ne vaut plus rien. Même la technique de présentation des faits contribue à évoquer un monde où rien n'est vrai, sur lequel l'individu n'a pas de prise. Enfin, l'univers des *FM* est limité à un groupe social narcissique, enfermé dans son langage même, qui éprouve confusément l'angoisse d'une impossible évasion vers un ailleurs redoutable et mal connu.

• *Des recherches esthétiques*

Le mouvement Dada, sur lequel Gide a écrit un article, puis le surréalisme font, comme Édouard dans *Les FM*, le procès du réalisme, qui ne correspond plus à un monde dont les valeurs sont incertaines. « Ce ne serait vraiment pas la peine d'avoir combattu pendant cinq ans, d'avoir tant de fois supporté la mort des autres et vu remettre tout en question, pour se rasseoir ensuite devant la table à écrire et renouer le fil du vieux discours interrompu » (Gide, *Dada*, p. 19). Mais Dada et le Surréalisme montrent le pouvoir libérateur de la dérision et de l'imagination. Ce n'est pas tout à fait le cas de Gide dans *Les FM*, dont la fantaisie n'est peut-être qu'apparente, et qui garde un style très classique. Mais le texte se veut percutant et inquiétant, légèrement parodique et sûrement désinvolte. Même les recherches du Groupe des Six, - Gide était l'ami de D. Milhaud -, leur goût pour les dissonances, leur effort vers la pureté, ont peut-être un rapport avec les tentatives de Gide pour donner à son roman une composition musicale, pour introduire de l'harmonie dans la dissonance.

• Tableau chronologique : biographie de Gide

Dates	Vie de Gide : principaux événements et œuvres	Vie littéraire en France et à l'étranger, textes anglo-saxons
1869 1877	Entre à l'École alsacienne ; renvoyé pour « mauvaises habitudes »	
1879		
1880 1881	Mort du père	Flaubert : *Bouvard et Pécuchet*
1884		Huysmans : *A rebours*
1886		Moréas : *Manifeste de l'école symboliste* De Voguë : *Le roman russe*
1888		Public. des *Illuminations* (Rimbaud)
1889		Barrès : *Un homme libre*
1890	Rencontre avec Valéry	
1891	Banquet offert à Moréas. *Cahiers d'A. Walter*	Mort de Rimbaud
1892		
1893	*Le voyage d'Urien.* Voyage en Afrique du Nord	
1895	*Paludes* Mort de la mère - Mariage au temple	Hardy : *Jude l'obscur*
1896		Valéry : *La soirée avec Monsieur Teste* Jarry : *Ubu-Roi*
1897	*Les nourritures terrestres*	Barrès : *Les Déracinés*

Traductions d'œuvres étrangères	Philosophie et arts
	Fabre : *Souvenirs entomologiques*
trad. de *Crime et châtiment,* *Guerre et Paix*	
trad. de *L'esprit souterrain*	
trad. des *Frères Karamazov*	
	Debussy : *Prélude à l'après-midi d'un faune.*
trad. de *L'éternel mari*	
	Manifeste du naturisme

Dates	Vie de Gide : principaux événements et œuvres	Vie littéraire en France et à l'étranger, textes anglo-saxons
1899	*Prométhée mal enchaîné*	
1902	*L'immoraliste*	Mort de Zola
1904	*Saül. Prétextes. O. Wilde.*	R. Rolland : *Jean-Christophe* (t. I)
1907	*Retour de l'enfant prodigue*	
1908	*Dostoïewsky d'après sa correspondance*	Fondation de la NRF
1909	*La Porte étroite*	
1910		1re décade de Pontigny Rilke : *Cahiers de Malte Laurids Brigge*
1911	*Isabelle* *Nouveaux Prétextes* Trad. de fragments *des Cahiers de MLB.* de Rilke	
1913	Fait la connaissance de R. Martin du Gard	Martin du Gard : *Jean Barois* Proust : *A la recherche du temps perdu* t. I Rivière : *Un roman d'aventures* A. Fournier : *Le grand Meaulnes*
1914	*Caves du Vatican* Rupture avec Claudel *Souvenirs de la Cour d'Assises*	Bourget : *Le démon de Midi*
1915 1916	Crise religieuse	
1917	Séjours en Suisse à Saas-Fee	Pirandello : *Chacun sa vérité* Cocteau, Satie, Picasso : *Parade.*
1918	Va en Angleterre avec Marc Allégret. Madeleine brûle ses lettres. Trad. de *Typhon*	

Traductions d'œuvres étrangères	Philosophie et arts
	Création de l'Action Française
	Bergson : *Évolution créatrice*
	Naufrage du « Titanic »
	Stravinski : *Le Sacre du Printemps*
	Freud : *Introduction à la psychanalyse*
	Manifeste Dada

Dates	Vie de Gide : principaux événements et œuvres	Vie littéraire en France et à l'étranger, textes anglo-saxons
1919	*La Symphonie pastorale* Commence *es F-M*	Proust : *A l'ombre des J. F. en fleurs*
1920	*Corydon*, publié à Bruges Visite à R.MG à Clermont	
1921	*Morceaux choisis* Violentes attaques de Massis	Pirandello : 6 *personnages en quête d'auteur*
1922	*Numquid et tu ?* trad. : *Mariage du ciel et de l'enfer*, de Blake Conférences sur Dostoïevski	Joyce : *Ulysse* Valéry : *Charmes* RMG : *Les Thibault* Mort de Proust
1923	Naissance de Catherine, fille de Gide et d'El. Van Rysselberghe	Radiguet : *Le Diable au corps* Cocteau : *Thomas l'imposteur* Mort de Barrès
1924	*Incidences* *Corydon* (éd. courante)	Mort de A. France Valéry : *Variétés I* Breton : 1er *Manifeste surréaliste* Copeau : *le « Théâtre sincère »* au Vieux Colombier
1925	*Les F-M* Départ pour le Congo	Abbé Bremond : *Définition de la poésie pure*
1926	*Le journal des F-M.*	

Les titres cités figurent pour la plupart dans le *Journal I* de Gide

Traductions d'œuvres étrangères	Philosophie et arts
	Le Groupe des 6 : Milhaud, Honegger...
Meredith : *Shagpat rasé*	
Trad. des *Cahiers de Malte Laurids Brigge*	
	Pamphlet surréaliste : *Un cadavre* (pour « liquider » la mémoire d'A. France.)

2 Analyse et composition du roman :
une organisation déconcentrée

Les amis de Gide lui ont souvent reproché les contradictions de sa personnalité : « Permettez-moi de vous dire, sans grossièreté, que vous êtes comme la lune... De quelque façon qu'on s'y prenne, on n'en voit jamais qu'un morceau, et le plus que l'on puisse embrasser d'un même coup d'œil n'est jamais que la moitié de Gide, dont les deux pôles ne se trouvent jamais éclairés en même temps » (*Corr. Gide-Martin du Gard*, pp. 223-224, 22-VII-1923). De là viennent les difficultés et les réticences que Gide éprouve à organiser une œuvre complexe et synthétique.

1. LES MODÈLES DES INTRIGUES

En dépit de la complexité du texte, on peut dégager les modèles qui ont servi à construire le roman : un roman d'apprentissage, quatre intrigues sentimentales liées les unes aux autres, une intrigue policière qui tourne au roman noir, des intrigues secondaires qui se rattachent aux précédentes.

• Un roman d'apprentissage

Le but premier de Gide était de raconter des événements qu'un certain Lafcadio « découvrirait peu à peu en curieux, en oisif et en pervertisseur ». Ensuite, ces fonctions se sont différenciées : Lafcadio est devenu Bernard Profitendieu, le héros adolescent d'un roman d'apprentissage, qui se découvre lui-même à travers les faits auxquels il assiste. Apprenant qu'il est un bâtard, il quitte la maison, exerce deux professions, aime deux femmes successivement, avant la crise qui le révèle à lui-même et lui permet de rentrer chez lui au terme de l'initiation.

- *Un roman d'aventures sentimentales*

Les deux premières parties reposent sur les rapports entre plusieurs intrigues amoureuses simples, avec des amours contrariées qui réussissent ou échouent dans la troisième partie :

- L'écrivain Édouard est amoureux de son neveu Olivier Molinier ; mais c'est Bernard, l'ami d'Olivier, qu'il prend comme secrétaire tandis qu'Olivier entre au service de Passavant, qu'il n'aime pas. Il y a eu « maldonne », et redistribution à la fin du texte, comme dans les romans avec « happy end ».

- Les amours de Laura Vedel, au contraire, sont condamnées : repoussée par Édouard qui aime Olivier, elle épouse Douviers sans amour, devient la maîtresse de Vincent Molinier qui l'abandonne, cherche en vain secours auprès d'Édouard, se laisse aimer platoniquement par Bernard, avant de retourner sans joie avec son mari.

- Aux amours de Laura se rattachent celles de Vincent Molinier, son amant, qui l'abandonne pour Lady Griffith, et celles de Bernard, platoniques avec Laura, physiques avec Sarah, la sœur de Laura.

Ces quatre intrigues dépendent les unes des autres : tout découle logiquement des tendances d'Édouard, qui le poussent à délaisser Laura pour Olivier. Dès lors, Laura ne peut qu'échouer avec Vincent qui se tourne vers Lady Griffith, et avec Bernard, qui se tourne vers Sarah.

- *Roman policier et roman noir*

Parallèlement au roman sentimental se déroulent une intrigue policière et un roman noir qui se rejoignent à la fin. L'intrigue policière repose sur des énigmes et la découverte progressive d'indices qui permettent de les résoudre : qui est impliqué dans l'affaire de mœurs dont parlent le père de Bernard et celui d'Olivier ? Que signifie l'étrange conduite de Georges, le jeune frère d'Olivier ? Qui est le mystérieux Strouvilhou ? La solution est donnée dans la troisième partie : Georges fait partie d'une bande de faux-monnayeurs que dirige Strouvilhou.

Une autre question se pose alors : les coupables seront-ils découverts et châtiés ? C'est là que le roman policier rejoint le roman noir ébauché depuis le début : un mécanisme implacable prépare une victime aux faux-monnayeurs devenus bourreaux par la faute des justiciers eux-mêmes : un enfant fragile, le jeune Boris, est en lieu sûr auprès d'un médecin,

Une autre question se pose alors : les coupables seront-ils découverts et châtiés ? C'est là que le roman policier rejoint le roman noir ébauché depuis le début : un mécanisme implacable prépare une victime aux faux-monnayeurs devenus bourreaux par la faute des justiciers eux-mêmes : un enfant fragile, le jeune Boris, est en lieu sûr auprès d'un médecin, Mme Sophroniska. Mais son grand-père charge Édouard de rechercher son petit-fils, et Édouard provoque indirectement la perte de Boris quand il décide de l'installer à la pension Vedel, où il sera en butte à la cruauté de ses camarades les jeunes faux-monnayeurs.

En effet, le roman noir rejoint ici le roman policier : le juge d'instruction demande à Édouard de prévenir Georges que ses activités sont connues de la police. Dès lors, l'énergie des faux-monnayeurs qui ne trouve plus d'emploi se tourne en cruauté contre Boris. Un mécanisme bien monté permet alors l'exécution de la victime et l'impunité des bourreaux.

● *Les intrigues secondaires*

A ces intrigues principales se rattachent des intrigues secondaires bâties elles aussi sur des schémas classiques. Comme dans une épopée, la splendeur de la famille Vedel-Azaïs semble culminer lors du mariage de Laura Vedel. Mais à la rentrée des pensionnaires, c'est déjà la décadence et le suicide de Boris annonce la ruine et la dispersion de la famille. Armand Vedel paraît être le héros parodique d'un roman d'apprentissage : il reste le spectateur des activités des autres et fait tout à contre temps. Enfin, les projets littéraires de l'écrivain Édouard, qui prennent d'abord la forme d'un traité du roman, rejoignent finalement les amours d'Édouard : Édouard ne commence à écrire que quand il est heureux.

Ainsi, en dépit de l'apparence désordonnée de l'ensemble, les intrigues peuvent se ramener à des schémas traditionnels, que Gide a seulement mêlés et ornés d'intrigues secondaires à peine ébauchées pour donner l'illusion de la vie.

2. ANALYSE ET MODE DE PRÉSENTATION DES INTRIGUES

Mode de présentation	Analyse des actions	Articulation des intrigues
	1ʳᵉ PARTIE : PARIS	
Monologue intérieur	**I,1 : Mercredi après-midi :** Bernard Profitendieu découvre qu'il est un bâtard et décide de quitter la maison familiale.	*Roman d'apprentissage :* rupture avec l'enfance.
Récit du narrateur	Il rejoint au Luxembourg son ami Olivier Molinier, assiste à une discussion littéraire entre camarades.	*Le roman :* projet de roman unanimiste.
Récit du narrateur	**I,2 : Le même mercredi après-midi :** Profitendieu, juge d'instruction, et Molinier, président de chambre, évoquent une affaire de mœurs où sont impliqués des mineurs. Rentré chez lui, Profitendieu lit la lettre d'adieu de Bernard, puis annonce le départ de son fils à la famille.	*1ʳᵉ énigme :* l'affaire de mœurs.
Lettre de Bernard à son père		
Récit du narrateur	**I,3 : Le même mercredi ; le soir :** Bernard va passer clandestinement la nuit chez Olivier, dont le petit frère, Georges, fait semblant de dormir.	*2ᵉ énigme :* Georges.
Récit d'Olivier	Lundi soir, Olivier a entendu une femme sangloter à la porte de son frère Vincent.	*Amours de Laura :* l'abandon par Vincent.
Récit du narrateur	**I,4 : Le même mercredi soir,** chez Passavant, écrivain à succès : Passavant prête à Vincent l'argent nécessaire aux couches de sa maîtresse Laura. Passavant père mort le jour même est veillé par son fils cadet Gontran.	*Amours de Laura :* incertitudes.
Récit de Lilian à Passavant	**I,5 : Le même mercredi soir, chez Lilian Griffith,** amie de Passavant : Lilian raconte comment Vincent a rencontré Laura, épouse de Douviers, dans un sanatorium.	*Amours de Laura,* rétrospective : tentative avec Vincent.
Récit du narrateur	Vincent retrouve Passavant chez Lilian.	
Monologue intérieur de Bernard	**I,6 : Jeudi matin, chez Olivier :** Bernard s'en va sans rien dire.	*Roman d'apprentissage :* expérience de la solitude.
Récit du narrateur	**I,7 : Jeudi matin, chez Lilian :** elle veut persuader Vincent de quitter Laura, et lui raconte le naufrage de La Bourgogne.	*Amours de Vincent :* tentation de Lilian.
Récit de Lilian à Vincent		

Mode de présentation	Analyse des actions	Articulation des intrigues
Monologue intérieur d'Édouard Lettre de Laura à Édouard Journal d'Édouard Carnet de notes d'Édouard	**I,8 : Jeudi matin, dans le train de Dieppe à Paris :** Édouard lit une lettre de Laura qui lui demande aide. Il relit son journal du **18, 26 et 27 octobre, l'an passé :** la décristallisation avait peu à peu détruit son amour pour Laura. Il note dans son carnet un projet de « roman pur ».	*Amours de Laura :* tentative avec Édouard. *Amours de Laura,* rétrospective : échec avec Édouard. Le roman : projet de roman pur.
Récit du narrateur	**I,9 : Jeudi, 11 h. 35, gare Saint-Lazare :** Olivier va chercher Edouard à la gare. Ils ne peuvent communiquer.	*Amours d'Édouard et d'Olivier :* 1er contre-temps.
Récit du narrateur et monologue de Bernard.	**I,10 : Jeudi, 11 h. 35 : gare Saint-Lazare :** Bernard ramasse le bulletin de consigne perdu par Édouard et retire sa valise.	*Roman d'apprentissage :* expérience de l'immoralisme.
Journal d'Édouard lu par Bernard	**I,11 : Jeudi après-midi, dans un hôtel :** Bernard lit le journal d'Édouard du **1er novembre :** Édouard avait surpris un enfant en train de voler un livre : c'était son neveu Georges qu'il ne connaissait pas.	*2e énigme : 1er indice : Georges est un voleur.*
Journal d'Édouard lu par Bernard Carnet du pasteur Récit du narrateur	**I,12 : Jeudi après-midi, à l'hôtel :** Bernard lit le journal d'Édouard du **2 et 5 novembre :** lors du mariage de Laura, il a admiré son neveu Olivier, a parlé d'un certain Strouvilhou avec Laura. Le grand-père de Laura lui a décrit Georges comme un petit saint. La sœur de Laura, Sarah, lui a montré le carnet de son père le pasteur. Il projette un roman sur la famille. Bernard est jaloux d'Édouard et d'Olivier.	*Amours de Laura,* rétrospective : tentative avec Douviers. *Amours d'Édouard et d'Olivier :* début. *2e énigme :* faux indice. *3e énigme :* Strouvilhou. *Splendeur des Vedel.* Le roman : le sujet. *Roman d'apprentissage :* expérience de la jalousie
Journal d'Édouard lu par Bernard	**I, 13 : Jeudi après-midi, à l'hôtel :** Bernard reprend sa lecture du **8, 9, 10 et 12 novembre :** Édouard avait rendu visite à un vieux professeur de piano, La Pérouse, qui lui avait appris l'existence de son petit-fils Boris.	*Roman noir :* présentation de la victime.

Mode de présentation	Analyse des actions	Articulation des intrigues
Monologue intérieur de Bernard Récit du narrateur	**I, 14 : Jeudi après-midi ; à l'hôtel de Laura :** Bernard décide d'aider Laura. Il lui rend visite. Édouard surprend leur conversation derrière la porte, entre et embauche Bernard comme secrétaire.	*Amours de Laura :* tentative auprès d'Édouard. *Roman d'apprentissage :* 1er amour, 1er métier.
Dialogue	**I, 15 : Jeudi après-midi, chez Passavant :** Passavant propose à Olivier la direction d'une revue littéraire. Strouvilhou est annoncé chez Passavant.	*Amours d'Édouard et d'Olivier* contrariées par Passavant.
Analyse par le narrateur Récit du narrateur	**II, 16 :** Le narrateur analyse le personnage de Vincent. **Jeudi soir, chez Lilian :** Lilian persuade Vincent de quitter Laura.	*Amours de Vincent* tentative avec Lilian.
Monologue de Vincent Récit du narrateur	**I, 17 : Jeudi soir : sur la route de Rambouillet :** en chemin, Vincent parle à ses amis de zoologie.	*Amours de Vincent :* projets avec Lilian.
Journal d'Édouard	**I, 18 : Jeudi après-midi et soir :** La Pérouse charge Édouard de rechercher son petit-fils Boris en Suisse.	*Roman noir :* déclenchement du mécanisme contre la victime.
	2e PARTIE : SAAS-FEE (Suisse)	
Lettre de Bernard à Olivier Monologue intérieur d'Olivier	**II, 1 : Pendant l'été, à Saas-Fee :** Bernard écrit à Olivier : il raconte les amours de Laura et de Vincent, son départ avec Édouard et Laura pour Saas-Fee, leur rencontre avec Mme Sophroniska, sa fille Bronja et Boris. Après lecture de la lettre, Olivier, jaloux, se rend chez Passavant.	*Amours de Laura et de Vincent :* rétrospective et constat d'échec. *Roman noir :* fragile bonheur de la victime. *Amours d'Édouard et d'Olivier :* contrariées par la jalousie.
Journal d'Édouard : dialogue, récit de Mme Sophroniska réflexions	**II, 2 :** Dans son journal, Édouard rapporte un dialogue entre Bronja et Boris, l'exposé par Mme Sophroniska de la façon dont elle soigne Boris, ses propres réflexions sur le roman	*Roman noir :* fragilité de la victime. *Le roman :* refus de la psychologie.

Mode de présentation	Analyse des actions	Articulation des intrigues
Analyse par le narrateur Récit du narrateur Journal d'Édouard	**II, 3 :** Les trois compagnons sont mécontents de leur séjour. Longue discussion sur les projets littéraires d'Édouard. Dans son journal, il décrit la foi de la doctoresse en sa méthode et note que Strouvilhou est venu à Saas-Fee.	*Amours de Laura :* échec auprès d'Édouard. *Le roman :* le projet est révélé à un public. *Roman noir :* inconscience des protecteurs de la victime. *3e énigme :* Strouvilhou.
Dialogue Lettre de Douviers à Laura	**II, 4 :** Bernard déclare son amour à Laura, qui le repousse parce que Douviers lui demande de revenir. Bernard renonce à Laura, lui confie son goût pour la probité et ses doutes sur la valeur d'Édouard.	*Roman d'apprentissage.* Aveu du 1er amour. *Amours de Laura :* retour à Douviers, fin.
Journal d'Édouard Récit de Mme Sophroniska	**II, 5 :** Édouard rapporte dans son journal une conversation avec Mme Sophroniska : elle a donné à Strouvilhou un document compromettant pour Boris. Édouard décide de placer Boris chez les Vedel-Azaïs.	*Roman noir :* trahison de la victime.
Lettre d'Olivier à Bernard Récit du narrateur	**II, 6 :** Olivier écrit à Bernard : il est devenu le secrétaire de Passavant et le directeur d'une revue littéraire : *L'Avant-garde.* Édouard accepte que Bernard entre comme surveillant à la pension Vedel pour aider Boris.	*Amours d'Édouard et d'Olivier :* annonce du renversement de la situation. *Roman d'apprentissage :* 2e expérience professionnelle.
Commentaire du narrateur	**II, 7 :** Le narrateur analyse ses personnages.	*Récapitulation* par le narrateur.
Journal d'Édouard Récit de Molinier	**3e PARTIE : PARIS** **III, 1 : 22 septembre :** Édouard mène Boris chez La Pérouse. **27 septembre :** Molinier déjeune avec Édouard.	*Roman noir :* 1er échec des protecteurs de la victime. *Récapitulation*, par Molinier.
Journal d'Édouard Dialogue avec Azaïs	**III, 2 : 28 septembre :** Appelé par Rachel Vedel, Édouard va à la pension ; Azaïs lui donne son avis sur La Pérouse, Bernard, Laura.	*Récapitulation*, par Azaïs.
Journal d'Édouard	**III, 3 : 29 septembre :** La Pérouse raconte à Édouard son suicide manqué.	*Roman noir :* préparation des armes contre la victime.

Mode de présentation	Analyse des actions	Articulation des intrigues
Récit du narrateur Dialogue	**III, 4 :** La rentrée à la pension Vedel. Présentation des enfants. Georges apprend à un ami que leurs complices ont été arrêtés. Bernard décrit la journée à Édouard.	1 re et 2e *intrigues :* solution : Georges est impliqué dans l'affaire de mœurs.
Récit du narrateur	**III, 5 : A la sortie du bachot :** Bernard discute avec Olivier de sa composition française. Georges et ses amis écoulent de fausses pièces. Strouvilhou donne aux enfants des conseils de tactique. Olivier invite Bernard et Édouard à un banquet littéraire pour le soir même.	*Roman d'apprentissage :* 1er désir d'enracinement. *Les 3 intrigues,* solution : Georges écoule de la fausse monnaie sous la direction de Strouvilhou.
Journal d'Édouard Dialogue	**III, 6 : Le jour du bachot :** Pauline Molinier apprend à son frère Édouard que Georges a volé des lettres compromettantes pour son père.	2e *intrigue :* Georges apprenti maître-chanteur.
Récit du narrateur Dialogue	**III, 7 : Le soir du bachot :** Olivier cherche réconfort auprès d'Armand.	*Roman d'apprentissage :* Armand l'anti-héros.
Récit du narrateur Lettre d'Olivier à Georges	**III, 8 : Le soir du bachot :** Sarah Vedel se prépare à partir pour le banquet des Argonautes. Le banquet : un coup de pistolet de Jarry jette la confusion parmi les convives. Édouard emmène Olivier un peu gris ; celui-ci écrit à Georges pour lui annoncer qu'il habitera désormais chez Édouard. Bernard va passer la nuit avec Sarah.	*Amours d'Édouard et d'Olivier :* réconciliation.
Récit du narrateur	**III, 9 : Le lendemain :** Armand regarde Bernard et Sarah endormis. Bernard s'éveille et s'enfuit. Édouard découvre la tentative de suicide d'Olivier.	*Roman d'apprentissage :* révélation de l'amour physique.
Récit du narrateur Lettre de Laura à Édouard Dialogue Journal d'Édouard	**III, 10 : Deux jours après le banquet :** Bernard rend visite à Olivier. Une lettre de Laura annonce la visite de Douviers. Bernard et Édouard discutent de la valeur de l'enthousiasme. Pauline a confié à Édouard ses efforts vers la résignation. Olivier lui a avoué son bonheur.	*Amours de Laura :* confirmation de l'échec. *Amours d'Édouard et d'Olivier :* bonheur.
Récit du narrateur Lettre de Lilian à Passavant	**III, 11 : Trois jours après le banquet :** Édouard va chercher les affaires d'Olivier chez Passavant, y lit une lettre de Lilian : elle s'est mise à haïr Vincent. Strouvilhou fait à Passavant une profession de foi anarchiste.	*Amours de Vincent :* échec. 3e *énigme :* révélation sur Strouvilhou.

Mode de présentation	Analyse des actions	Articulation des intrigues
Journal d'Édouard	**III, 12 : Le même jour :** Édouard a commencé à rédiger son roman. Il a reçu la visite de Douviers, puis celle de Profitendieu, qui lui apprend que Georges écoule de la fausse monnaie.	*Amours d'Edouard et d'Olivier :* bonheur *2e énigme :* la culpabilité de Georges est connue.
Récit du narrateur	**III, 13 : Le jour des résultats du bachot :** La rencontre avec l'ange : Bernard assiste à une réunion de nationalistes, erre dans Paris, lutte toute la nuit avec l'ange. Boris relit une lettre de Bronja annonçant qu'elle va mourir.	*Roman d'apprentissage :* la crise finale *Roman noir :* Boris perd sa raison de vivre.
Récit du narrateur	**III, 14 : Le lendemain :** Bernard demande à Édouard à quelle cause se vouer.	*Roman d'apprentissage :* formulation d'une règle morale.
Récit du narrateur Journal d'Édouard Un chapitre du roman d'Édouard	**III, 15 :** à la pension Vedel, les enfants martyrisent La Pérouse et Boris. Édouard écoute les confidences de La Pérouse, puis il fait lire à Georges un chapitre de son roman où il le dépeint comme un faux-monnayeur. Georges prévient Strouvilhou.	*Roman noir :* souffrances des victimes. *2e énigme :* Georges va-t-il s'amender ?
Récit d'Armand Lettre d'Alexandre à Armand	**III, 16 :** Armand raconte à Olivier la visite de l'anarchiste Cob-Lafleur à Passavant. Une lettre de son frère nous apprend que Vincent, devenu fou, a tué Lilian.	*Roman d'apprentissage :* l'anti-héros. *Amours de Vincent :* la folie et le meurtre.
Récit du narrateur	**III, 17 :** Boris a appris la mort de Bronja. « La confrérie des hommes forts » imagine un méchant tour contre Boris.	*Roman noir :* désespoir de la victime, machination des bourreaux.
Récit du narrateur Journal d'Édouard	**III, 18 : le lendemain soir :** Exécution de Boris : à la fois un suicide et un assassinat. Repentir de Georges. Édouard écoute La Pérouse exprimer son désespoir. Bernard est retourné chez Profitendieu, Édouard l'y rejoint pour faire la connaissance du petit Caloub.	*Roman noir :* exécution de la victime. *Roman d'apprentissage :* retour au foyer.

3. UNE COMPOSITION « NATURELLE »

Malgré les conseils de Martin du Gard, Gide « se refuse à s'assurer d'un plan préétabli. Il ne sait pas lui-même où il va, ni très bien où il veut aller. Il écrit d'impulsion, selon le caprice de l'heure » (Martin du Gard : *Notes sur A. Gide*, p. 69, janvier 1923). Cette fantaisie n'exclut pourtant pas la rigueur d'une organisation : « Senti d'une manière plus pressante le besoin d'établir une relation continue entre les éléments épars; je voudrais pourtant éviter ce qu'a d'artificiel une « intrigue » (*JFM*, p. 19, 2-VII-1919). Seulement, il la veut « naturelle » : « La composition d'un livre, j'estime qu'elle est de première importance.. Le mieux est de laisser l'œuvre se composer et s'ordonner elle-même, et surtout ne pas la *forcer*... » (*Journal I*, p. 716, 1921).

Pour donner l'illusion du naturel, Gide obéit à un principe rigoureux : dès le début, il a l'intention d'ébaucher systématiquement des intrigues secondaires inutiles qu'il ne poursuivra pas : « Lafcadio [1], par exemple, essaierait en vain de nouer des fils; il y aurait des personnages inutiles, des gestes inefficaces, des propos inopérants, et l'action ne s'engagerait pas » (*JFM*, p. 28, 5-VIII-1919). Il justifie ensuite ce dessein : dans son incapacité à unifier l'intrigue, le romancier imite la vie : « La vie nous présente de toutes parts quantité d'amorces de drames, mais il est rare que ceux-ci se poursuivent et se dessinent comme a coutume de les filer un romancier. Et c'est là précisément l'impression que je voudrais donner dans ce livre » (*JFM*, p. 89, I-II-1924). Effectivement, certains épisodes semblent superflus : la mort du vieux Passavant, le dialogue entre Profitendieu et Antoine, les hésitations de Marguerite Profitendieu. Le narrateur peut même souligner cette gratuité : « Précisément parce que nous ne devons plus le revoir, je le contemple longuement » (*FM*, p. 55).

C'est que Gide ne cherche pas la vraisemblance mais le sentiment de l'inachevé, cette « érosion des contours » dont parle Édouard. Le texte est composé comme « une nébuleuse [2] ». Ce livre « s'achèvera brusquement, non point par épuisement du sujet, qui doit donner l'impression de l'inépuisable, mais au contraire, par son élargissement et par une sorte d'évasion de son contour. Il ne doit pas se boucler, mais s'éparpiller, se défaire » (*JFM*, pp. 92-93, 8-III-1925). Le terme d'éparpillement est repris plus tard : « Tout aboutit au

1. Jusqu'en 1922, Gide pensait donner le nom de Lafcadio au personnage principal des *Faux-monnayeurs*.
2. Pierre Lafille : *André Gide romancier*, Hachette, 1954, p. 343.

suicide du petit Boris; directement tout y amène, à partir de quoi tout s'éparpille - tout s'éparpillerait » (*Corr. Gide-Martin du Gard*, p. 268, 9-VI-1925). En effet, à la mort de Boris, les liens qui unissent les personnages se dénouent, tout se passe comme si le roman avait tenté en vain de créer une cohérence que la vie détruit.

4. « QUELQUE CHOSE COMME L'ART DE LA FUGUE »

Avant de se défaire, les événements ont été organisés en une composition non pas « architecturale », mais « symphonique » (Martin du Gard, *Notes sur A. Gide*, p. 138, 1943). Gide utilise souvent des métaphores empruntées à la musique pour caractériser son œuvre. En décembre 1921, au moment où il achève les trente premières pages de son livre, il travaille « *L'art de la fugue* », de Bach, où il voit tantôt de la sérénité, tantôt « tourment d'esprit et volonté de plier les formes, rigides comme des lois et inhumainement inflexibles » (*Journal I*, pp. 705-706, 7-XII-1921).

Pourtant le mot d'Édouard : « ce que je voudrais faire, c'est quelque chose qui serait comme *L'art de la fugue* », n'est pas facile à interpréter. *L'art de la fugue* est une œuvre didactique, un traité de la fugue, qui, à l'origine, n'était pas destinée à être effectivement exécutée sur des instruments. Elle comporte une série de fugues, c'est-à-dire de « compositions musicales où un thème et ses imitations successives semblent se fuir et se poursuivre ».

A partir de ces données, plusieurs interprétations sont possibles. On peut, comme le fait Guy Michaud [1], comparer la composition des *FM* à celle d'une fugue : les trois parties correspondraient à l'exposition de la fugue, au développement et au stretto, avec des accords en I-5, I-18, II-7, III-8, III-18. Chaque intrigue, liée à la fois à un personnage et à un thème, serait un des éléments de la fugue : le sujet, le contre-sujet et leurs réponses.

Sans donner un sens aussi précis à la métaphore utilisée par Édouard, on peut y voir l'expression d'un procédé de création propre à Gide. De même que la fugue repose sur l'imitation d'un thème, de même Gide fabrique ses intrigues

1. *L'œuvre et ses techniques*, Nizet, 1957.

comme ses personnages à partir d'un petit nombre de modèles qui servent toujours plusieurs fois. Voici comment Gide exprime ce principe : « Nombre d'idées sont abandonnées presque sitôt lancées, dont il me semble que j'aurais pu tirer meilleur parti. Celles, principalement, exprimées dans le *Journal d'Édouard* ; il serait bon de les faire reparaître dans la seconde partie. Il serait dès lors d'autant plus étonnant de les revoir après les avoir perdues de vue quelque temps – comme un premier motif, dans certaines fugues de Bach » (*Journal I*, p. 790, 3-X-1924). Ce principe sert aussi à la conception des événements qui se produisent au cours du récit ; ils existent en plusieurs exemplaires : trois suicides, deux duels, trois adultères, deux naufrages. Souvent un événement en appelle un autre qui lui est symétrique : Bernard écrit à Olivier qu'il est le secrétaire d'Édouard, Olivier écrit à Bernard qu'il est le secrétaire de Passavant ; Olivier passe avec Édouard la nuit que Bernard passe avec Sarah ; le récit que fait Lilian du naufrage de la Bourgogne appelle le récit par Alexandre de la mort de Lilian.

Peut-être est-ce le même principe qui pousse l'auteur à décentrer son récit. Dès le début, Gide voyait dans son roman « matière à deux livres » : « Je suis comme un musicien qui cherche à juxtaposer et imbriquer, à la manière de César Franck, un motif d'andante et un motif d'allegro » (*JFM*, p. 12, 17-VI-1919). Deux ans plus tard, il précise en quoi consiste cette dualité : « Il n'y a pas, à proprement parler, un seul centre à ce livre, autour de quoi viennent converger mes efforts ; c'est autour de deux foyers, à la manière des ellipses, que ces efforts se polarisent. D'une part, l'événement, le fait, la donnée extérieure ; d'autre part, l'effort même du romancier pour faire un livre avec cela. Et c'est là le sujet principal, le centre nouveau qui désaxe le récit et l'entraîne vers l'imaginatif » (*JFM*, pp. 49-50, VIII-1921). Cela confirme le sens qu'Édouard donne à son projet de fugue romanesque : de même qu'une fugue exprime, selon Gide, une « lutte entre l'esprit et le chiffre », de même le roman d'Édouard aura pour sujet « la lutte entre les faits proposés par la réalité, et la réalité idéale » (*FM*, p. 234). Donc, s'il y a contrepoint, ce n'est pas tant dans l'enchevêtrement des intrigues, des thèmes ou des voix que dans la juxtaposition du récit et du journal d'Édouard.

3 | La stylisation du réel :
un mécanisme compliqué

Peindre la complexité du réel, tout verser de la vie dans une
œuvre, ce pourrait être une ambition de romancier réaliste.
Pourtant, Gide veut purifier le roman de toute prétention
au réalisme, en stylisant les données de la vie. Le résultat
ressemble à une épure compliquée, à la fois abstraite et
savante, organisée comme un jeu intellectuel, selon des
principes plus ou moins apparents.

1. UNE TENTATIVE DE « ROMAN PUR »

L'une des préoccupations de Gide, c'est le conflit qui le
heurte à la réalité. En décembre 1924, dans une conversation
avec Martin du Gard, dont la solidité et le goût de la vie le
surprennent, il avoue qu'il lui manque « le sens de la réalité »;
le monde lui semble un spectacle qui ne le concerne pas :
« Le monde réel me demeure toujours un peu fantastique (...)
C'est le sentiment de la réalité que je n'ai pas. Il me semble
que nous nous agitons tous dans une parade fantastique et
que ce que les autres appellent réalité, que leur monde
extérieur n'a pas beaucoup plus d'existence que le monde des
FM ou des *Thibault* » (*Journal I*, p. 801; 20-XII-1924).
Édouard éprouve le même sentiment, jusqu'à se prendre
pour un être de fiction. La même tendance, plus ou moins
consciente, caractérise tous les personnages : tous romancent
leur propre vie; les discours qu'ils se tiennent leur masquent
les choses. Derrière l'écran des mots, ils n'atteignent jamais
le réel.

Dans ces conditions, il n'est pas étonnant que Gide, égocentrique et idéaliste, vivement frappé à la lecture du *Monde comme volonté et comme représentation*, de Schopenhauer, ait refusé le réalisme en littérature. Les romanciers réalistes, les Anglais et les Russes autant que Balzac, suscitent la colère d'Édouard, qui refuse de « faire concurrence à l'état civil » (*FM*, p. 231). Comme Édouard (*FM*, p. 93), Gide entend « purger le roman de tous les éléments qui n'appartiennent pas spécifiquement au roman » (*JFM*, p. 62, 1-XI-1921); il ne s'agit pas de le réduire à un récit sans descriptions ni dialogues, mais de l'écarter de la vie, pour en faire ressortir les significations. Tout ce qui n'y contribue pas est superflu : « Tout ce qui ne peut servir alourdit » (*JFM*, p. 18; 6-VII-1919). Gide admire les œuvres classiques parce qu'elles ne cherchent pas le vraisemblable (*FM*, p. 230). Comme les classiques, il veut supprimer tout ce qui individualise, pour pouvoir « exprimer le général par le particulier » : « en localisant et en spécifiant, l'on restreint » (*FM*, p. 231).

Bien plus, le réel gêne le travail de l'imagination. La matière que fournit la vie à ce disciple de Mallarmé paraît trop pesante pour entrer dans un livre. C'est pourquoi il a renoncé à utiliser un certain nombre de croquis pris sur le vif dans le *JFM*. Les personnages empruntés directement à son expérience sont ceux qui lui déplaisent le plus : « Les meilleures parties de mon livre sont celles d'invention pure. Si j'ai raté le portrait du vieux La Pérouse, ce fut pour l'avoir trop rapproché de la réalité; je n'ai pas su, pas pu perdre de vue mon modèle... Le difficile c'est d'inventer, là où le souvenir vous retient » (*JFM*, p. 74, 3-XI-1922). Gide aboutit à cette contradiction : il emprunte presque toute la matière de son livre à sa vie, et cependant il l'épure jusqu'à l'abstraction, il élimine de son texte tous les détails concrets qui pourraient colorer un décor, faire durer le temps, donner à voir les personnages.

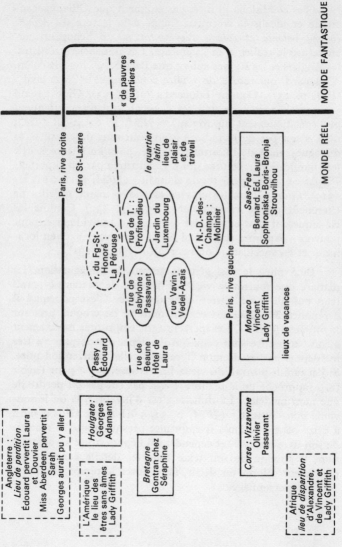

ORGANISATION DE L'ESPACE DANS LES FAUX-MONNAYEURS

MONDE RÉEL

MONDE FANTASTIQUE

Paris, rive droite

Gare St-Lazare

« de pauvres quartiers »

r. du Fg-St-Honoré : La Pérouse

Passy : Édouard

rue de Babylone : Passavant

rue de Beaune Hôtel de Laura

rue de T. : Profitendieu

Jardin du Luxembourg

rue Vavin : Vedel-Azaïs

le quartier latin lieu de plaisir et de travail

r. N.-D.-des-Champs : Molinier

Paris, rive gauche

Angleterre :
Lieu de perdition
Édouard pervertit Laura
et Douvier
Miss Aberdeen pervertit
Sarah
Georges aurait pu y aller

Houlgate :
Georges Adamanti

L'Amérique :
le lieu des
êtres sans âmes
Lady Griffith

Bretagne :
Gontran chez
Séraphine

Afrique :
lieu de disparition
d'Alexandre,
de Vincent et
Lady Griffith

Corse : Vizzavone
Olivier
Passavant

Monaco
Vincent
Lady Griffith

Saas-Fee
Bernard, Ed. Laura
Sophroniska-Boris-Bronja
Strouvilhou

lieux de vacances

• *Un décor abstrait : l'organisation de l'espace*

Dans *Les Nourritures terrestres*, Gide s'émerveillait de la splendeur du monde nouveau qu'il découvrait. Dans les *FM*, au contraire, l'apparence concrète des lieux et des choses ne l'intéresse pas. Il dépasse même la volonté d'abstraire qu'il exprimait dans le *JFM* : « le mieux serait de faire une description « poétique » du Luxembourg qui doit rester un lieu aussi mythique que la forêt des Ardennes dans les féeries de Shakespeare » (*JFM*, p. 76, 1-II-1923) : il finit par supprimer toute description. On sait seulement que le paysage de Saas-Fee est « déclamatoire », et la baie de Porto « admirable », ce qui exprime un sentiment sans décrire un paysage.

Il réduit ainsi le décor à quelques noms, porteurs d'une signification mythique à l'intérieur du texte, indépendamment de toute signification généralement admise. Les lieux de l'évasion sont vaguement localisés à l'aide d'un nom de continent ou de pays : l'Afrique, c'est le lieu où l'on disparaît sans retour ; l'Angleterre, le lieu des tentatives d'évasion, où l'on croit se sauver et où l'on se perd ; l'Amérique, le monde des êtres libres et durs. Les lieux de vacances, où se passe réellement une partie de l'action, portent un nom de village ou de petite ville : Monaco, Vizzavone, Saas-Fee, Houlgate. Mais l'essentiel de l'action se situe à Paris, autour du Luxembourg, dans le VIe, quartier de la bourgeoisie bien-pensante, et chaque personnage y est situé dans sa rue, comme si le nom de la rue complétait celui du personnage. Seule Lady Griffith n'a pas droit à une localisation, parce que Gide veut éviter de donner à ce personnage trop d'existence. La Pérouse, qui habitait rue du Faubourg Saint-Honoré, déménage rue Vavin, au cours du livre. On fait de fréquentes incursions en pays limitrophe, au Quartier latin, lieu de travail et de plaisir. Rarement on s'aventure rive droite, à la gare Saint-Lazare. Seul Édouard habite une région excentrique, Passy, ce qui correspond à sa situation particulière dans le roman : il vit un peu en dehors du système familial et sert souvent de montreur de marionnettes.

Enfin, quelques lignes seulement évoquent, hors du quartier préservé et hors du monde réel, une terre sans nom, l'immensité effrayante d'un univers inconnu où Bernard se rend pour la première et la dernière fois en compagnie de l'ange, comme on se rend aux Enfers : « ils errèrent long-temps entre de hautes maisons sordides qu'habitaient la maladie, la prostitution, la honte, le crime et la faim » (*FM*, pp. 436-437). On sort du monde connu par un jeune bour-geois du début du siècle. La vision est brève, vague et apo-calyptique.

• *Une chronologie sans durée*

Comme l'espace, le temps, dans *Les FM*, est réduit à l'abstrac-tion : on n'y ressent ni l'écoulement d'une durée, ni le poids affectif du passé, ni l'aspiration de l'avenir avec sa charge de rêves, d'espoirs et d'illusions. « Ce que cherche, d'ordinaire, le lecteur, c'est une sorte de tapis roulant qui l'entraîne » (*Journal I*, p. 760, 17-VI-1923). Or Gide, qui veut contrarier le lecteur, construit un univers temporel clos et discontinu, sur un rythme rapide, irrégulier et syncopé, avec des silences sur les temps forts.

En effet, l'action commence un mercredi après-midi, au début de l'été, et s'achève en novembre; dans sa rétro-spective, Édouard remonte seulement au 15 octobre de l'année précédente. De ce qui s'est passé auparavant, on ne sait que très peu de choses : des déclarations d'un état civil illégal, quelques informations concernant Édouard et Strou-vilhou, toujours objectives : jamais ce passé n'envahit une subjectivité de souvenirs ou de regrets qui pourraient orienter un destin. L'avenir reste tout aussi abstrait : presque tous les personnages ne peuvent plus avoir d'histoire à la fin du roman : les uns meurent, les autres trouvent une stabilité. Seule la dernière phrase d'Édouard pourrait faire croire à un avenir; en réalité elle ne laisse place qu'à une répétition d'événements analogues.

A l'intérieur de ces limites hermétiques, la chronologie est assez morcelée pour briser l'impression de durée. Selon la technique simultanéiste de Dos Passos, les mêmes inter-valles de temps, le mercredi et le jeudi, sont racontés plu-sieurs fois, selon le point de vue des différents personnages. Entre ces moments, au contraire, de longues périodes restent dans l'ombre. La technique du retour en arrière vient encore rompre la continuité du récit à un moment crucial.

La répartition du récit en chapitres renforce encore cette impression. Gide abandonnait parfois son travail pendant plusieurs mois. Cette discontinuité qui, selon lui, « aère le texte » et « le pénètre de vie réelle », il veut la refléter dans le livre. Il la conçoit comme un obstacle salutaire : « La difficulté vient de ceci que, pour chaque chapitre, je dois repartir à neuf. *Ne jamais profiter de l'élan acquis* - telle est la règle de mon jeu » (*JFM*, p. 77, 3-I-1924). Cet effort, il le demande aussi au lecteur : « Ne pas établir la suite de mon roman dans le prolongement des lignes déjà tracées, voilà la difficulté. Un surgissement perpétuel ; chaque nouveau chapitre doit poser un nouveau problème, être une ouverture, une direction, une impulsion, une jetée en avant de l'esprit du lecteur. » (*JFM*, p. 81-82, 10-IV-1924). La fin des chapitres doit marquer un temps d'arrêt, de « respiration ». Et en effet, chaque chapitre forme une unité distincte, centrée autour d'un personnage, d'un point de vue, et limitée dans le temps et l'espace. Et les liaisons entre ces unités, lorsqu'elle existent, sont souvent formelles. Gide obtient ainsi, dans le découpage des chapitres, l'effet que veulent produire plus tard Hemingway ou Camus dans la juxtaposition des phrases : la discontinuité du récit rend possible la contingence des actes gratuits.

2. PRINCIPES DE FABRICATION DES PERSONNAGES

« Ils se sont imposés à moi quoi que j'en aie », affirme Gide en parlant de ses personnages (*JFM*, p. 84, 27-V-1924). « Ils vivent en moi de manière puissante, et je dirais même volontiers qu'ils vivent à mes dépens » (*JFM*, p. 56, VIII-1921). Souvent, dans son *Journal*, il insiste sur leur autonomie à son égard. Mais sans doute est-ce là la coquetterie de bien des romanciers qui se veulent habités par un monde imaginaire et prétendent créer des « personnages vivants ». Gide ne met pas en cause cette convention, mais contrairement à Martin du Gard qui, dans la lignée de Balzac ou de Flaubert, croit vivre « avec » ses personnages, groupés en ronde autour de lui, Gide, comme Stendhal, voit en eux des projections de lui-même. Ils réalisent les possibles auxquels il a renoncé dans la vie réelle : « je m'explique assez bien la formation d'un personnage imaginaire, et de quel rebut de soi-même il est fait » (*JFM*, p. 85, 27-V-1924). Ils ne sont que des variations d'un même modèle, obtenues selon des règles implicites, mais précises.

● *Des voix sans visage*

Gide n'a pas l'imagination visuelle. De l'apparence physique de ses personnages, nous ne savons rien ; ils sont réduits à leur voix, seule expression de leur pensée : « Je sais comment ils pensent, comment ils parlent ; je distingue la plus subtile intonation de leur voix » (*JFM*, p. 56, VIII-1921). « Pour moi, c'est plutôt le langage que le geste qui renseigne (...). Pourtant, je *vois* mes personnages ; mais point tant leurs détails que leur masse, et plutôt encore leurs gestes, leur allure, le rythme de leurs mouvements... tandis que les moindres inflexions de leur voix, je les perçois avec la netteté la plus vive » (*JFM*, p. 84, 27-V-1924). Et en effet, ils nous sont souvent présentés dans un dialogue, où l'auteur commente les « tons » de leur voix. Bien plus, ce qui s'impose d'abord à Gide lorsqu'il crée un personnage, ce n'est pas un visage, ou un caractère, c'est un discours qui exprime un état d'âme : « Dès la première ligne de mon livre, j'ai cherché l'expression directe de l'état de mon personnage, - telle phrase qui fût directement révélatrice de son état intérieur - plutôt que de dépeindre cet état » (*JFM*, p. 80, 29-III-1924). Ou bien il dégage un caractère en analysant les paroles du personnage : « le mauvais romancier construit ses personnages ; il les dirige et les fait parler. Le vrai romancier les écoute et les regarde agir ; il les entend parler dès avant que de les connaître, et c'est d'après ce qu'il leur entend dire qu'il comprend peu à peu *qui* ils sont ». (*JFM*, pp. 83, 84 ; 27-V-1924). Martin du Gard montre bien, dans ses *Notes sur André Gide*, que Gide compose ses personnages à partir de leurs paroles : « Au milieu d'un chapitre, pour corser la scène, parfois simplement pour placer une réplique, il inventera un nouveau personnage auquel il n'avait encore jamais songé, dont la silhouette soudain se dessine et le tente, mais dont il ne sait encore rien, ni ce qu'il vient faire dans l'histoire, ni même s'il trouvera un rôle à y jouer » (p. 69). Martin du Gard compose selon les règles de la rhétorique classique : il traduit en mots une idée de personnage ; Gide au contraire bâtit un personnage sur une forme verbale préexistante.

Cette méthode explique que presque tous ses personnages soient des intellectuels, même les plus caricaturaux : Gide ne crée que des personnages qui aiment parler. Ils évoluent dans un univers social très limité : celui de la bourgeoisie cultivée, des professions libérales fondées sur l'art de la parole, des écrivains, des avocats, des professeurs, des prédicateurs et des psychanalystes. Leur vie mentale s'exprime tout naturellement en monologues, en lettres, en discussions, en récits organisés selon des principes enseignés au lycée ou à l'Université : Bernard et Olivier dissertent sur l'inconstance de La Fontaine comme ils ont appris à le faire pour le baccalauréat ; les méditations d'Armand, celle de La Pérouse sur la liberté parodient des pages de manuels pour la classe de philosophie. Les lettres de Laura, de Douviers, ressemblent aux exercices donnés en classe de grammaire ou de rhétorique : « Rédigez une lettre d'une femme en détresse demandant du secours à un ami ». Des tics professionnels marquent le langage de tous : pour Profitendieu, c'est le « je sais que » du juge d'instruction ; pour Vincent, ce sont les termes techniques de la biologie ; pour Bernard et Olivier, c'est le jargon des lycéens.

Cela permet à Gide de « ne jamais exposer d'idées qu'en fonction des tempéraments et des caractères » (*JFM*, p. 13, 17-VI-1919). Il parle plusieurs fois de sa faculté de dépersonnalisation, de son inaptitude à s'exprimer en son nom propre. Toutes ses idées se présentent à lui toutes formulées, comme si elles étaient prononcées en lui par quelqu'un d'autre, sans qu'il puisse totalement les faire siennes : « Il m'est certainement plus aisé de faire parler un personnage, que de m'exprimer en mon nom propre ; et ceci d'autant que le personnage créé diffère de moi davantage... Ce faisant, j'oublie qui je suis, si tant est que je l'aie jamais su ; je deviens l'autre » (*JFM*, p. 75, 15-XI-1923). Et c'est ce qui fait qu'aucun de ses personnages, même Édouard, n'est identique à l'auteur.

C'est la voix qui fait « vivre » les personnages de Gide. C'est pourquoi ils sont d'autant moins réalistes et pittoresques qu'ils ont plus d'importance dans l'action et plus d'existence individuelle. Voici la règle paradoxale que se donne Gide pour les présenter : « Ne pas amener trop au premier plan - ou du moins pas trop vite - les personnages les plus importants, mais les reculer, au contraire, les faire attendre. Ne pas les décrire, mais faire en sorte de forcer le lecteur à les imaginer comme il sied. Au contraire, décrire avec précision et accuser fortement les comparses épisodiques ; les amener au premier plan pour distancer d'autant les autres. » (*JFM*, p. 62, 28-X-1921). On peut en effet classer les personnages d'après la précision de leur apparence extérieure ; les seuls sur lesquels le romancier donne des renseignements précis et colorés sont des comparses : Jarry, Dhurmer, Ghéridanisol. Chez les autres, Gide ne décrit que des ressemblances entre des personnages : Olivier et Edouard sont presque de la même taille, Sarah et Laura ont le même front, les mêmes lèvres ; mais rien ne permet de les caractériser et de les imaginer. La règle vaut aussi pour les deux personnages fantastiques : la démarche de l'ange est décrite avec une précision d'humoriste, tandis que le diable, dont la présence détermine l'action au début, se réduit à un regard ironique.

• *Apparentements, oppositions et dédoublements*

Ces personnages sans épaisseur, Gide prétend qu'il les voudrait sans état-civil : « L'ennui, voyez-vous, c'est d'avoir à conditionner ses personnages (...) dès qu'il faut les vêtir, fixer leur rang dans l'échelle sociale, leur carrière, le chiffre de leurs revenus ; dès surtout qu'il faut les avoisiner, leur inventer des parents, une famille, des amis, je plie boutique. Je vois chacun de mes héros, vous l'avouerais-je, orphelin, fils unique, célibataire, et sans enfant. » (*JFM*, pp. 56-57, VIII-1921).

En réalité, c'est une ambition qu'il attribue à Edouard, sans la réaliser lui-même : il note, dans son *Journal* du 3-I-1922 : « Hier soir... effort énorme pour vivifier et *apparenter* mes personnages » (p. 727). Presque tous, en effet, peuvent se ranger dans un « groupement ». En 1921, Gide opposait seulement deux groupes : ceux qui « se dévouent pour la Patrie (...) En regard, le groupement des ennemis de la société ». (*JFM*, p. 51-VIII-1921). Le système achevé est plus complexe : on distingue les groupes littéraires : les *Argonautes* et l'*Avant-garde*, et les groupes politiques : les nationalistes, les faux-monnayeurs anarchistes groupés autour de Strouvilhou. Les groupes sont toujours présentés de manière péjorative et satirique, et les individus, les personnages principaux, sont valorisés par rapport aux groupes.

En revanche, un très petit nombre de personnages échappe à un système familial rigoureux. L'intention première de Gide était d' « exposer pourquoi, en regard des jeunes gens, ceux de la génération qui les a précédés paraissent à ce point rassis, résignés, raisonnables, qu'on se prend à douter si, du temps de leur propre jeunesse, ils ont jamais été tourmentés des mêmes aspirations » (*JFM*, p. 14, 17-VI-1919). Il réalise ce dessein en opposant les parents aux enfants, sans qu'aucune relation de compréhension ou d'amitié lie les uns aux autres. Gide aurait voulu aussi montrer « comment ceux d'une nouvelle génération, après avoir critiqué, blâmé les gestes et les attitudes... de ceux qui les ont précédés, se trouvent amenés à refaire à peu près les mêmes » (*JFM*, p. 90-20-XI-1924). Il a ébauché cette démonstration en divisant les enfants en trois catégories, les aînés, les adolescents, les benjamins. Or les aînés ont déjà renoncé, et imitent les parents ; les adolescents cherchent une voie et la trouvent au cours du roman ; les benjamins sont en pleine révolte.

Les seuls personnages qui échappent au système familial sont les « oncles » : Edouard, le demi-frère de Pauline, et Strouvilhou, dont on ne sait s'il est l'oncle ou le cousin de Ghéridanisol. Or ils ont tous les deux une fonction analogue dans le livre : Édouard est un centre d'intrigue, il connaît la plupart des personnages, il influence leur destin en faisant ses « expérimentations ». Strouvilhou dirige la bande des faux-monnayeurs et provoque le suicide de Boris.

De même Lilian détourne Vincent de Laura, Miss Aberdeen séduit Sarah. Tous quatre, comme devait le faire Lafcadio lors de la conception du livre, prennent part à l'action « en curieux, en oisifs et en pervertisseurs ».

Comment Gide utilise-t-il cette grille pour fabriquer ses personnages ? Remarquons d'abord qu'il n'a pas rempli toutes les cases de sa grille ; Martin du Gard lui reprochait de ne pas avoir épuisé les possibilités que lui offraient ses personnages. Il est vrai que Gide a terminé son roman prématurément, à la fois pressé par l'imminence de son voyage au Congo, et sans doute lassé par une entreprise de trop longue haleine. Certains personnages sont là, semble-t-il, à seule fin de remplir une case : Caloub pour permettre une suite au roman, Alexandre pour faire pendant à Charles et à Vincent.

Une telle grille permet des variations sur un même modèle : dans la même classe d'âge, Bernard, Olivier et Armand représentent trois formes d'apprentissage et de révolte. Dans la même famille, Vincent, Olivier et Georges présentent trois types de faiblesse. Marguerite, Pauline et Mélanie évoquent trois formes d'échec conjugal et de résignation féminine; Rachel, Laura et Sarah, trois manières d'envisager la condition de la femme.

Gide prétendait refuser « d'*opposer* un personnage à un autre ou de faire des pendants » (*JFM*, p. 13, 17-VI-1919). En réalité, aucun type n'apparaît sans un double ou un triple qui s'oppose à lui au moins sur un détail : il y a deux romanciers, deux serviteurs, deux grands-pères, deux Anglaises, deux aînés partis en Afrique; et à l'intérieur de chaque groupe on joue sur les ressemblances et les différences : les fils Molinier se ressemblent, les fils Passavant sont aussi dissemblables que possible.

Gide a effectivement utilisé le principe de la variation pour faire ses personnages : il semble bien avoir procédé par dédoublement : Lafcadio devait être d'abord le narrateur, avant de se dédoubler en Lafcadio - Bernard et Edouard. Vincent devait être un des fils du pasteur. Le personnage de Z, qui travaille à débaucher et pervertir des jeunes « par haine contre ce rigorisme dont lui-même n'a jamais pu s'affranchir » (*JFM*, p. 21, 25-VIII-1919), a donné naissance à Robert de Passavant, qui débauche Vincent, et à Armand, qui pervertit Sarah.

Ainsi, Gide n'emprunte au réel qu'une matière verbale : quelques noms propres, des phrases, des fragments de dialogue. Il construit à partir de ces éléments un univers symbolique, organisé selon quelques principes simples.

DEGRÉS DES ÂGES

Imagerie Pellerin-Épinal

« ... un tableau symbolique des âges de la vie, depuis le berceau jusqu'à la tombe. Comme dessin, ça n'est pas très fort; ça vaut surtout par l'intention. » (*Les Faux-Monnayeurs*, p. 354).

• *Tableau des personnages :*

	Famille Profitendieu	Famille Molinier		
Les grands-parents				
Les parents	*Albéric,* juge d'instruction *Marguerite,* la femme adultère	*Oscar,* président de chambre *Pauline,* demi-sœur *d'Edouard*, romancier, ami de... - Paul-Ambroise. - Jarry		
Les aînés	*Charles,* avocat *Cécile,* se marie dans l'été	*Vincent,* médecin et naturaliste, amant de	**Lilian Griffith,** amie de........................ *Strouvilhou,* oncle ou cousin de	
Les cadets	*Bernard*, ami de	*Olivier,* ami de....................		Lucien Bercail Dhurmer Cob-Lafleur
Les benjamins	*Caloub*	*Georges,* ami de ...	*Ghéridanisol* { Ph. Adamanti	
Les serviteurs	*Antoine*			

Famille Passavant		Famille Vedel-Azaïs	Famille La Pérouse		Famille Sophroniska
		Le grand-père Azaïs, ancien pasteur	*La Pérouse*, prof. de piano		
			Mme de La Pérouse		
Le père, meurt		*Prosper Vedel* pasteur	Le père, mort		
La mère, morte depuis une dizaine d'années.		*Mélanie*, « pastoresse »	La mère, absente		Mme *Sophroniska*, médecin
		Rachel			
		Laura, épouse de *Douviers*			
Robert, romancier					
		Alexandre Armand Sarah, amie de Miss Aberdeen			
Gontran			*Boris*, ami de	. . . . .	. . *Bronja*
Séraphine					

4 Techniques de la narration :

des jeux d'optique

Comment donner de l'épaisseur au récit ainsi dépouillé de tous les éléments du réel qui pourraient l'alourdir ? Tout un système de jeux d'optique permet d'y parvenir : nous voyons d'abord le reflet des événements sur les personnages qui les vivent, puis le reflet de ce reflet dans le journal d'Édouard, et enfin le tout est encore commenté par un narrateur qui se présente comme un personnage supplémentaire et accentue la distanciation au point d'obtenir des effets parodiques.

1. LA PRÉSENTATION INDIRECTE DES FAITS

Dès juillet 1919, Gide veut « éviter à tout prix le simple récit impersonnel » : « Puis-je représenter toute l'action de mon livre en fonction de Lafcadio ? Je ne crois pas » (*JFM*, p. 24, 27-VII-1919). « Je voudrais trouver des truchements successifs : par exemple ces notes de Lafcadio occuperaient le premier livre ; le second livre pourrait être le carnet de notes d'Édouard ; le troisième, un dossier d'avocat, etc. » (*JFM*, p. 24, 28-VII-1919). Puis il précise le but d'une telle technique : elle exige l'effort du lecteur pour reconstituer un réel qui lui demeure caché : « Je voudrais que les événements ne fussent jamais racontés directement par l'auteur, mais plutôt exposés (et plusieurs fois, sous des angles divers) par ceux des acteurs sur qui ces événements auront quelque influence. Je voudrais que, dans le récit qu'ils en feront, ces événements apparaissent légèrement déformés ; une sorte d'intérêt vient, pour le lecteur, de ce seul fait qu'il ait à *rétablir*. L'histoire requiert sa collaboration pour se bien dessiner » (*JFM*, pp. 30-31, 31-XI-1920).

Ce qu'il reproche précisément à Martin du Gard, c'est de porter sur tout « la même clarté, directe et sans surprise » : « vous ne racontez jamais un événement passé à travers un événement présent, ou à travers un personnage qui n'y est pas acteur. Chez vous, rien n'est jamais présenté de biais, de façon imprévue, anachronique » (Martin du Gard, *Notes sur A. Gide*, p. 37, XII-1920). Il veut au contraire, à la manière de Rembrandt, introduire du clair-obscur dans le récit, et c'est cela qui, à ses yeux, fait tout l'intérêt du livre : « L'indice de réfraction m'importe plus que la chose réfractée » (*Corr. Gide-Martin du Gard*, p. 281, 29-XII-1925). Peu importe le contenu si la présentation crée un univers évanescent, légèrement irréel, « fantastique ».

• *Le récit dans le dialogue*

Pour cela, la plupart des personnages assument tour à tour le rôle du narrateur : au cours d'un dialogue, ou par lettre, ils racontent à un tiers ce qu'ils savent de leurs proches. C'est ainsi que les amours de Vincent sont décrites par Olivier à Bernard, par Lilian à Passavant, puis dans des lettres, de Bernard à Olivier, de Lilian à Passavant, d'Alexandre à Armand. On pourrait ainsi classer les personnages selon leur mode de présentation : la présentation objective est réservée aux grotesques ; l'analyse et le monologue intérieur dotent de subjectivité les deux héros, Édouard et Bernard ; la présentation de biais fait de tous les autres des êtres énigmatiques. Seule Lady Griffith est vue objectivement sans être grotesque ; or Gide nous dit qu'elle n'a pas de consistance et pas d'âme. Comme les choses, elle ennuie le romancier.

L'avantage de la présentation indirecte, c'est qu'elle décrit autant celui qui parle que celui dont on parle, tout en laissant le lecteur faire lui-même le travail d'analyse : « Un caractère arrive à se peindre admirablement en peignant autrui, en parlant d'autrui - en raison de ce principe que chaque être ne comprend vraiment en autrui que les sentiments qu'il est capable de fournir » (*JFM*, p. 59, VIII-1921). C'est ainsi qu'Édouard, Laura, Azaïs, dépeignent les autres en projetant sur eux leurs propres tendances.

• *La technique de l'indiscrétion*

La fonction de détective que Bernard attribue au romancier réaliste, ce sont les personnages qui la remplissent : Profitendieu, Azaïs, Mme Sophroniska ont la manie professionnelle de sonder les reins et les cœurs. Les autres sont curieux par nature comme leur auteur : « Ce qui se passait derrière mon dos me préoccupait fort, et parfois même, il me semblait que, si je me retournais assez vite, j'allais voir du je ne sais quoi » *(Si le grain ne meurt)*.

Selon Martin du Gard, Gide aimait lire à son entourage les lettres qu'il venait de recevoir. De même, Bernard, Laura, Armand, Passavant montrent à autrui des lettres qu'ils ont reçues ; Olivier lit la carte de visite adressée à Passavant ; Sarah fait lire à Édouard le journal intime de son père. Dans le monde des *FM*, il est courant d'écouter aux portes et de rapporter ensuite ce qu'on a surpris : Olivier épie Vincent, Lilian le fait jaser, Bernard file Édouard et lui dérobe des documents ; Édouard écoute Laura et Bernard derrière la porte, surprend Georges en flagrant délit de vol ; le diable amusé regarde Vincent rentrer chez Lilian ; Armand contemple Bernard et Sarah endormis.

Dans la présentation directe des événements, le lecteur sait tout avec bonne conscience. Avec la technique de Gide, il prend part à l'indiscrétion des personnages, il apprend furtivement ce qu'il ne devrait pas savoir. C'est un moyen pour Gide à la fois de tourner en dérision le roman réaliste, et de donner un sentiment de gêne au lecteur.

2. LA « MISE EN ABYME »

Pour des raisons analogues, le tiers du livre est constitué par le journal d'Édouard qui joue le rôle d'un personnage privilégié, mais toujours impliqué dans les événements qu'il raconte.

A vingt-quatre ans, Gide écrivait déjà : « J'aime assez qu'en une œuvre d'art, on retrouve ainsi transposé, à l'échelle des personnages, le sujet même de cette œuvre. Rien ne l'éclaire mieux et n'établit plus sûrement toutes les proportions de l'ensemble » ; et il comparait ce procédé avec celui « du blason qui consiste, dans le premier, à en mettre un second en abyme » *(Journal I*, p. 41, VIII-1893).

• Les symboles, petits miroirs du roman

Ce procédé apparaît dans quelques épisodes symboliques qui représentent par des métaphores le sujet du livre. C'est le rôle que joue la leçon de biologie que Vincent impose à ses interlocuteurs. Les lois de la nature qu'il décrit sont celles qui régissent l'univers du roman : comme Bernard, le bâtard, les bourgeons qui se développent sont les plus éloignés du « tronc familial ». Comme, dans le roman, les faibles s'étiolent au profit des forts, les poissons sténohalins languissent au profit des euryhalins, capables de s'adapter à une modification du milieu ambiant. Enfin, de même que les personnages décrivent les événements en les éclairant de leur propre point de vue, de même les poissons des abîmes projettent devant eux leur propre lumière.

Comme dans les tableaux de Memling, ou les *Menines* de Vélasquez, où « un petit miroir convexe et sombre reflète, à son tour, l'intérieur de la pièce où se joue la scène peinte » (*Journal I*, p. 41, VIII-93), les gravures qui décorent la chambre d'Armand symbolisent certains éléments du texte : c'est ainsi que le tableau symbolique des âges de la vie évoque l'un des sujets abordés dans le roman.

Mais ce procédé n'intervient qu'épisodiquement - c'est surtout le journal d'Édouard qui sert, entre autres fonctions, à la « mise en abyme ».

• La lutte entre le réel et sa stylisation

Le journal d'Édouard peut simplement réfracter les faits, comme les lettres ou les récits des autres personnages ; il joue ce rôle lorsque Édouard raconte le mariage de Laura (I,12). Mais il a aussi une autre fonction : grâce à lui, les théories littéraires d'Édouard deviennent l'un des sujets du livre, sinon, comme le prétendait Gide, le sujet principal. Au début, Édouard note ce qu'il voit dans son journal, et ses théories littéraires sur un carnet de notes. Ensuite, il écrit tout dans le même journal ; dès lors, il ne raconte plus les faits comme les autres personnages, il les met en forme en vue de les intégrer dans son roman, et il indique souvent en quelques lignes comment il compte utiliser ces notes. C'est sans doute ce que Gide veut dire lorsqu'il affirme qu'il cherche à représenter le conflit entre le réel et l'effort du romancier pour le styliser : l'effort du romancier est consigné dans le journal d'Édouard, en même temps que certains faits, et le réel dans tout le reste du roman. Cependant cet écart n'est pas aussi grand que Gide le prétend, car pour lui, la réalité est toujours « fantastique »; elle est toujours vue à travers la représentation que s'en font les personnages qui n'atteignent jamais le réel. Seul le suicide de Boris, décrit dans le style du récit objectif, paraît une intrusion du réel dans un univers de représentations. Il y a toujours un décalage entre le réel et le roman que chacun se fait de sa propre vie. Et finalement, Édouard n'est qu'un personnage comme les autres, qui décrit comme les autres ce qu'il voit, et qui, comme Bernard, Lucien Bercail, Passavant, échafaude des théories littéraires. Le journal d'Édouard n'est qu'une des formes de la présentation indirecte des faits.

● *Le roman du roman*

Pourtant le roman de Gide et celui d'Édouard portent le même titre; on pourrait en déduire qu'Édouard est la représentation de Gide, et que le roman de l'un est celui que l'autre essaie de faire; ce serait alors une véritable « mise en abyme », de même que *La recherche du temps perdu* décrit la genèse du livre qui porte ce titre. Il n'en est rien. Gide proteste quand les critiques voient en Édouard un auto-portrait : Édouard est un écrivain raté, il ne réussit à écrire que les quelques pages parodiques qu'il fait lire à Georges : « Je dois respecter soigneusement en Édouard tout ce qui fait qu'il ne peut écrire son livre... C'est un amateur, un raté.

« Personnage d'autant plus difficile à établir que je lui prête beaucoup de moi. Il me faut reculer et l'écarter de moi pour bien le voir. » (*JFM*, p. 65, 1-XI-1921). Le livre qu'écrit Édouard, ce n'est pas *Les FM* puisque « ce pur roman, il ne parviendra jamais à l'écrire ». Sans doute les idées d'Édouard sont-elles déjà exprimées dans le *JFM*. Cependant, elles paraissent plus développées et plus systématiques dans le journal d'Édouard; ainsi le passage où Gide, en août 1921, découvre que le sujet de son livre, c'est le conflit entre le réel et l'effort du romancier pour le styliser, est développé par Édouard dans sa longue conversation à Saas-Fee. Il reprend plusieurs fois cette idée, et la pousse à l'extrême : finalement, l'histoire de son livre l'intéresse plus que le livre lui-même, ce qui n'est pas vrai de Gide : « J'ai soin qu'il manque à chacun de mes héros (donc à Édouard) le peu de bon sens qui me retient de pousser aussi avant qu'eux certaines idées », écrit-il à Martin du Gard *(Corr.* 29-XII-1925, p. 280). Gide tient un peu de Bernard le réaliste, ce qui lui permet d'achever son roman.

- *Un faux carnet de notes :*
  le Journal des Faux-monnayeurs

Le *JFM* n'a rien de commun avec les carnets des romans de Dostoïevski ou les dossiers des œuvres de Tolstoï, que Gide ne pouvait pas avoir lus en 1925. Il ne s'agit pas du vrai cahier de brouillons des *FM*, qu'il n'a pas publié : « Je ne dois noter ici que les remarques d'ordre général sur l'établissement, la composition et la raison d'être du roman. Il faut que ce carnet devienne en quelque sorte « le cahier d'Édouard ». Par ailleurs, j'inscris sur des fiches ce qui peut servir : menus matériaux, répliques, fragments de dialogues, et surtout ce qui peut m'aider à dessiner les personnages » *(JFM*, p. 35, 13-I-1921).

A l'origine, pourtant, ce journal était bien le brouillon du cahier d'Édouard : c'était la clé du roman destinée à être intégrée au roman lui-même. « Somme toute, ce cahier où j'écris l'histoire même du livre, je le vois versé tout entier dans le livre, en formant l'intérêt principal, pour la majeure irritation du lecteur » *(JFM*, pp. 49-50, VIII-1921). Mais Gide n'a pas réalisé ce dessein : il n'a retenu, pour le journal d'Édouard, que les passages les plus théoriques et la véritable histoire des *FM* n'est pas dans *Les FM*. Dans ces conditions, le *JFM* a un rôle ambigu : il n'a pas le caractère brut des documents posthumes ; il forme une « œuvre » en ce sens qu'il est organisé en vue d'une publication à part, et que certains passages du *Journal* concernant *Les FM* en ont été écartés. Publié en 1926, il sert de suite au roman, ou plutôt on peut le considérer comme un degré supplémentaire de la « mise en abyme » : le *JFM* serait le roman des *FM*, agencé en vue de produire un effet esthétique. Le narrateur du *JFM* n'est pas Gide dans sa spontanéité de créateur, mais l'image qu'il prétend nous donner de l'auteur des *FM*.

3. L'IMAGE DU NARRATEUR

• Le narrateur masqué

Comme dans les romans naturalistes et les romans du comportement, le narrateur, dans *Les FM*, se cache parfois derrière une fausse objectivité. Ainsi, dans certains dialogues, il apparaît en donnant des indications scéniques concernant les gestes et le ton des personnages. Dans d'autres, les répliques alternent avec une analyse, souvent en style indirect, des pensées et des sentiments qui ont motivé la réplique. Dans les deux cas, le rôle du narrateur est le même : ce n'est pas de classer les personnages dans une typologie des caractères, ni de découvrir à travers un comportement des lois psychologiques. Il sert à révéler, dans l'instant, un décalage entre la pensée et la parole, entre l'être et l'apparence ; il découvre le dessous des cartes.

Le monologue intérieur a une fonction un peu différente. Il n'a rien de commun, par exemple, avec le monologue de Molly à la fin d'*Ulysse*, de Joyce, dont Gide connaissait alors l'existence par Valéry Larbaud. Comme Browning et Dostoïevski, les premiers, selon lui, à utiliser ce procédé, Gide reste plus près du monologue dramatique, libre mais structuré, que du discours intérieur plus obscur et plus informe. Seul Bernard, dans la première moitié du texte, se livre à un « dialogue intérieur » : Gide cherche à traduire ainsi la lutte d'un être qui se cherche, sa tendance à l'analyse et au dédoublement, jusqu'au jour où son amour pour Laura unifie sa personnalité. Le monologue intérieur a donc ici un rôle exceptionnel ; il signifie la crise psychologique d'un personnage. La plupart du temps, Gide préfère le style indirect libre, à la troisième personne, parce qu'il permet une distanciation plus grande entre le narrateur et les personnages.

• Le narrateur apparent

En 1923, Gide projetait une préface à la traduction de *Tom Jones*, de Fielding. Il admirait dans le livre les interventions du narrateur, qui, au début des chapitres, commente son récit et analyse ses personnages. En 1924, il renonce à ce projet, mais il utilise les procédés de Fielding : « cette courte plongée dans Fielding m'éclaire sur les insuffisances de mon livre. Je doute si je ne devrais pas élargir le texte, intervenir (malgré ce que me dit Martin du Gard), commenter » (*JFM*, p. 80, 14-II-1924). Il lui arrive donc d'intervenir comme un personnage distinct, à la première personne, d'ignorer ce que font les autres personnages, de ne pas pouvoir en observer plusieurs à la fois, d'être obligé d'interpréter leur comportement : « quittons-les », « je ne sais trop où il dîna ce soir ». D'un côté, ce procédé, comme dans les récits du XVIIIe siècle, tend à détruire l'illusion romanesque, à donner l'impression d'un jeu ; de l'autre, il crée une nouvelle illusion : les personnages semblent ainsi vivre d'une vie autonome et imprévisible, comme les *Six personnages en quête d'auteur* de Pirandello. Tout se passe comme si le narrateur était « l'inventeur » du récit, au sens premier du terme, comme s'il « trouvait », découvrait les événements en même temps que le lecteur.

Que le narrateur s'identifie au lecteur, c'est encore plus manifeste lorsqu'il réagit affectivement à l'égard de ses personnages, surtout en II, 7. C'est bien là l'attitude ordinaire du lecteur de romans, qui s'émeut et « participe » à l'action. Mais en même temps, le narrateur suggère au lecteur ses propres critères de valeur, très proches de ceux de Gide : ce qui l'indigne chez Édouard, ce n'est pas tant sa curiosité cruelle que les sophismes dont il la couvre, et ce qui lui plaît chez Bernard, c'est sa révolte. Il suffit qu'il y ait un décalage entre ces critères de valeur et ceux du lecteur réel, pour que ce chapitre provoque alors la contestation du lecteur. Au contraire, le roman réaliste, qui efface les marques du narrateur, agit plus insidieusement. L'intention de Gide n'est pas de séduire mais bien d'irriter.

4. LA PARODIE
DES CONVENTIONS ROMANESQUES

Les *FM*, dont le héros devait s'appeler Lafcadio, aurait pu être, comme *Les Caves du Vatican*, une « sotie ». Multiplier les points de vue, éclairer les événements « de biais », introduire des idées dans le roman, faire intervenir le narrateur dans le récit, tout cela contribue déjà à détruire l'illusion romanesque. L'usage de la parodie renforce encore cet effet.

On trouve de tout dans *Les FM* : une perte au jeu, des suicides, des naufrages, des duels, deux assassinats ; des affaires louches, des tentatives de chantage, des filles séduites, des maris trompés, des bâtards, des fils prodigues. Une fille aînée, une mère se sacrifient ; un bon et un mauvais fils veillent leur père mort, un vieillard survit à la mort des siens, des enfants meurent, une femme devient aveugle, un jeune homme tombe malade, un autre devient fou. C'est beaucoup pour 500 pages. Souvent même Gide souligne cette invraisemblance : Édouard se donne beaucoup de mal pour expliquer qu'il ne connaît pas ses neveux et considère qu'il sera difficile de le faire admettre. Il en est de même pour toutes les interventions du hasard : Édouard perd son bulletin de consigne juste au moment où Bernard passe pour le ramasser. Il voit un enfant voler un livre : c'est son neveu qu'il ne connaît pas encore. Strouvilhou, qui a disparu depuis dix ans, passe des vacances dans le même village que le trio.

Pourtant, les événements obéissent à une double exigence : d'un côté ils paraissent souvent arbitraires ; de l'autre presque toutes les notations se justifient d'une manière ou d'une autre : « Le plus petit geste exige une motivation infinie » (*JFM*, p. 46, 7-XII-1921). Mais souvent la justification est cachée, parce qu'elle réside dans la relation avec un autre événement qu'on ne nous donne que plus tard. Ainsi, Édouard, au moment où Rachel lui demande un service, s'étonne qu'elle ait les yeux secs, bien qu'elle ait l'attitude de quelqu'un qui pleure ; Armand donne ensuite une explication du fait : le médecin lui a demandé de ne pas pleurer pour ménager sa vue. Gide souligne donc les conventions romanesques du texte et masque sa cohérence et sa rationalité.

La même démarche l'incite à donner aux êtres fantastiques une apparence de réalité, et à montrer que toute notation dite réaliste est au contraire arbitraire : la présence de l'ange est donnée comme normale, tandis qu'Édouard, en décrivant les vêtements de Georges qu'il surprend chez le libraire, insiste sur l'insignifiance de tels détails ; et le personnage de Jarry, quoique fondé sur l'observation, paraît plus fantastique que l'ange. Une fois de plus, Gide obéit, pour présenter les faits, à la règle du paradoxe : il met en valeur l'insignifiant et masque l'essentiel. L'ensemble prend ainsi un caractère à la fois désinvolte et saugrenu, souvent légèrement irréel.

• *Du pathétique à l'ironie : le refus de l'émotion*.

Martin du Gard a souvent noté l'extrême émotivité de Gide. Dans son roman, le ton oscille du pathétique à l'ironie. Des scènes mélodramatiques jalonnent le récit : une femme supplie son amant de ne pas l'abandonner; un adolescent au grand cœur cherche à sauver cette femme en détresse; un orphelin veille son père mort; un homme confie les sentiments paternels qu'il éprouve pour un enfant qui n'est pas le sien. Ces clichés pourraient émouvoir. En fait, ils restent à mi-chemin entre le pathétique et le ridicule : l'émotion n'est pas menée jusqu'au bout, et retombe brusquement.

Le pathétique se dénature à l'aide des procédés habituels du burlesque. Tantôt Gide utilise en les exagérant ou en les inversant les conventions d'un genre sérieux. Ainsi, tandis que, chez Balzac et Flaubert, le nom symbolise un caractère, les noms, dans *Les FM*, sont bâtis sur un calembour (Profitendieu, Passavant), sur une figure étymologique (Mme Sophroniska, la sagesse hellénique slavisée), ou sur une antiphrase (Félix le mari trompé, Prosper le pasteur ruiné). Tantôt il emprunte sa matière à des genres légers. Les précautions inutiles, les scènes de dépit, les petites feintes appartiennent au vaudeville plus qu'à la tragédie. Quand Profitendieu cherche à donner le change à son serviteur qui fait semblant de ne rien comprendre, c'est une scène de comédie, même si Profitendieu souffre réellement. Enfin, selon la technique burlesque la plus classique, de menus incidents matériels font passer le ton d'un registre à l'autre, quand Bernard fait tomber, sur sa lettre d'adieu, une goutte de sueur en guise de larme; quand Laura, désespérée, s'assoit dans un fauteuil qui se brise; ou quand La Pérouse, fou de douleur, mais pris de fringale, réclame deux œufs sur le plat.

Le procédé le plus fréquent consiste à faire du personnage pathétique un objet de spectacle. Le narrateur adopte alors pour décrire la scène le point de vue d'un personnage un peu en marge, qui compatit, mais reste lucide. Par sympathie, il peut se laisser gagner par l'émotion de celui qui souffre.

Édouard, apte à se dépersonnaliser, est même capable, dans ce cas, d'une « transe quasi mystique ». Mais il suffit d'une légère fausse note pour que cette exaltation superficielle cesse brusquement. Alors que Bernard déclare son amour à Laura, elle se laisse aller un instant à sa manie de sermonner, et Bernard sourit. Édouard est d'abord bouleversé par les confidences de Profitendieu, jusqu'à ce qu'il remarque le tic professionnel de son interlocuteur.

Pourquoi l'émotion est-elle si fragile ? La règle veut, dans les œuvres de Gide, que toute expression d'une émotion, sauf la litote, la dénature et la rende ridicule. Les pleurs et les discours gênent comme une indécence ou une vulgarité, parce qu'ils paraissent toujours affectés. C'est pourquoi même La Pérouse et Armand, malgré leur souffrance, ne sont pas tragiques : sentencieux ou cyniques, ils donnent tous deux leur souffrance en spectacle, ils jouent un rôle et l'adhésion romanesque est détruite : Gide prétend ne prendre au sérieux que le naturel, son ironie traque toute insincérité.

- *Pastiches et collages*

Tout paraît déguisé dans *Les FM* : Gide semble emprunter la pensée d'autrui, et son expression est toujours au bord du pastiche. Sans pratiquer systématiquement la technique du collage, puisqu'il ne fait, outre les exergues, que quelques citations, il mêle à son texte des souvenirs littéraires. Bernard, surtout, le bon élève, fait allusion aux bons auteurs, dont il prolonge la pensée. Édouard les cite de manière plus ironique pour les placer dans un contexte familier qui leur ôte leur prestige, comme lorsqu'il compare son propre regard à celui du Caïn de Hugo : « seulement mon œil à moi souriait ». En III, 4, le narrateur décrit la situation de Boris selon le schéma que l'on attribuait dans les lycées aux tragédies de Racine. Ailleurs, Gide pastiche « l'esprit parisien » avec Passavant, l'insolence des gamins, avec Ghéridanisol, les romans du début du XIXe siècle, en II, 7, et ses propres récits lorsque Audibert et Hildebrant parlent du cas d'Eudolfe.

Sa faculté de « dépersonnalisation » s'exerce donc à la moindre phrase ; le texte tout entier est plus ou moins ironique, comme s'il était toujours entre guillemets, comme si Gide, ne pouvant s'exprimer en son nom propre, utilisait toujours, en s'en moquant, des formules apprises.

Les FM ont d'abord surpris par leur technique; le contenu
étonnait moins les lecteurs des *Caves du Vatican*. Pourtant,
une analyse des significations pourrait dégager les liens qui
unissent une technique romanesque souvent mise en œuvre
par la suite avec une idéologie individualiste qui commence
à se contester elle-même.

1. « UN ROMAN D'IDÉES »

Édouard oppose « le roman d'idées » aux « romans à thèses »,
sans vraiment le définir. Il le décrit par images : c'est un
champ de bataille pour les idées. L'auteur du livre n'est que
le lieu où elles se déploient : « ce n'est pas à moi-même que je
m'intéressais, mais au conflit de certaines idées dont mon âme
n'était que le théâtre et où je faisais fonction moins d'acteur
que de spectateur, de témoin » (*Journal I*, p. 783, 19-III-
1924). Une telle théorie du roman justifie les procédés
techniques utilisés. Le roman est débarrassé des descriptions
réalistes parce que les idées intéressent le romancier plus que
les hommes. Il se compose de récits et de dialogues parce
que « les idées n'existent que par les hommes »; on ne peut
les dissocier de l'être qui les a formulées, ni de l'expression
qu'il leur a donnée. C'est pourquoi tout paraît entre guillemets dans le texte. Toute l'invention de l'auteur est dans le
collage plus ou moins expressif d'idées empruntées.

C'est pourquoi Gide nous invite à beaucoup de prudence avant de déterminer des « influences » : « Il me semble que, n'eussé-je connu ni Dostoïevski, ni Nietzsche, ni Freud, ni X ou Z, j'aurais pensé tout de même, et que j'ai trouvé chez eux plutôt une autorisation qu'un éveil » (*Journal I*, p. 781, 7-I-24). D'autant plus que, pour une personnalité aussi mêlée à la vie littéraire du temps, les conversations importent peut-être autant que les lectures : Edouard semble prolonger avec «X» et «Paul-Ambroise» les conversations de Gide avec Martin du Gard et Ambroise-Paul Valéry. On peut tout au plus montrer quelles variations Gide ajoute aux sujets déjà abordés dans le *Journal* et les autres textes : la révolte contre la morale des familles et des religions, la recherche de la sincérité, la liberté, et voir comment des sujets identiques ont pu être traités dans des œuvres antérieures ou contemporaines.

Enfin, il paraît impossible de dégager « les idées » de Gide dans *Les FM* : sans doute sont-elles souvent exprimées explicitement, mais toujours par l'intermédiaire d'un personnage. Il faudrait pouvoir déterminer à chaque fois « l'indice de réfraction » qui le différencie de l'auteur. Car s'il n'y a pas de centre à ce livre, c'est qu'aucun narrateur, apparent ou masqué, ne sert de porte-parole à l'auteur. Ou plutôt, tous les personnages le sont tour à tour, sans souci de non-contradiction. Ils représentent toutes les tentations intellectuelles de l'écrivain entre lesquelles il ne veut pas choisir de peur de s'appauvrir. Gide incite le lecteur à ne pas chercher dans un texte l'opinion de l'auteur, mais à trouver lui-même une solution aux problèmes qui y sont posés : « La critique, qui va cherchant à travers ce livre mon opinion personnelle, erre [...] mon rôle ici se borne à faire réfléchir le lecteur et je pense lui rendre ainsi plus grand service qu'en lui servant des convictions, des opinions toutes faites, des nourritures toutes mâchées » (Projet de Préface à *La Porte Étroite*).

Avec les ambiguïtés du titre, l'éparpillement de l'intrigue, les contradictions des jugements explicites, l'auteur semble brouiller les pistes, et poser des énigmes que le système des personnages et l'étude de vocabulaire ne permettent pas de résoudre à coup sûr : que signifient le titre et le dénouement ?

2. « CES FAUX-MONNAYEURS...
QUI SONT-ILS? »

Le thème de la fausse monnaie, avec ses développements métaphoriques, est le sujet explicite du roman. Pour le narrateur, le groupe des faux-monnayeurs, c'est la bande de Strouvilhou. Pour Édouard, les faux-monnayeurs sont d'abord ses confrères, Passavant en particulier; mais l'attribution s'est « considérablement élargie ».

● « *Un monde où chacun triche* »

« Suivant que le vent de l'esprit soufflait de Rome ou d'ailleurs, ses héros tour à tour devenaient prêtres ou francs-maçons » (*FM*, p. 238). Cette phrase permet une première interprétation, la plus évidente. Elle évoque les grotesques des *Caves du Vatican* et le roman, dont le titre était déjà annoncé en 1913, développe la satire déjà amorcée dans la sotie. Alors que les livres précédents étaient écrits pour Madeleine et sous son influence, à partir de 1914, Gide écrit contre elle; la foi et le mode de vie auxquels elle tient lui paraissent une duperie et une contrainte insupportable. La fausse monnaie, ce sont les valeurs que les groupes imposent aux individus, en opposition avec leurs tendances profondes.

En 1925, Gide ne tient aucun compte du marxisme et de la révolution de 1917. Il n'a pas encore honte d'être un rentier. Sa révolte reste celle d'un esthète et d'un individualiste : il souhaite seulement libérer l'individu des modèles grotesques que lui propose la société. Il s'en excusera plus tard : « Comment ne pas se sentir individualiste parmi les conventions d'une société bourgeoise? » (*Journal I*, 7-IV-1932, p. 1123). La société, c'est la loi, incarnée par le personnage le plus vulgaire, dans tous les sens du terme : le président de chambre Molinier. Comme un bourgeois d'Emile Augier, il joint le respectable à l'égrillard. Toute sa morale consiste à ne pas « compromettre les familles respectables. » Cette satire n'a rien d'original, sinon par ses manques : nous ne savons rien des idées de Molinier sur l'argent. Il incarne seulement les idées reçues concernant la famille et le mariage.

« Familles, je vous haïs », disait Ménalque. Gide exprime encore une fois son horreur des « foyers clos » et de l'égoïsme familial. Les deux sentiments sur lesquels la famille est censée reposer, l'amour conjugal et la voix du sang, il les présente comme des illusions. On se marie par erreur, comme Pauline, ou par intérêt, comme Profitendieu et même Laura, qui, avec sa pauvre dot, ne pouvait épouser mieux que Douviers. De toute façon, le mariage n'apporte que le mépris, l'incompréhension ou la haine, et pour la femme, l'esclavage qui, d'ailleurs, ne lui messied pas tout à fait, car Gide ne saurait estimer « le contentement d'une femme dont le bonheur ne comporterait pas un peu de résignation » (*Journal I*, p. 248, 16-VI-1907). L'amour hétérosexuel est toujours condamné : l'idylle de Boris et de Bronja, trop pure pour vivre, ne peut pas durer ; la passion de Vincent se change en haine ; Bernard, divisé comme Laura, ne parvient pas à unir l'estime et la sensualité. Seuls Edouard et Olivier vivent un amour heureux.

La voix du sang est aussi un préjugé : entre frères et sœurs, père et fils, on n'éprouve qu'indifférence ou hostilité. L'amour maternel de Pauline ne lui apporte que de la souffrance. Les sentiments de Profitendieu pour Bernard, de Séraphine pour Gontran sont d'autant plus sincères qu'aucun lien de parenté, donc aucune ressemblance ne les unit, Dans ces conditions, c'est une chance d'être un bâtard : « Seul le bâtard a droit au naturel » ; aucune image paternelle ne vient l'encombrer et l'empêcher d'être lui-même. La nouvelle de sa bâtardise est pour Bernard la libération hors de la « geôle intellectuelle » qu'est la famille. Pour lui comme pour Ménalque [1] et l'enfant prodigue [2], l'initiation à la vie commence au reniement des siens.

Les « familles spirituelles » sont les vraies pépinières de faux-monnayeurs. La pension Vedel-Azaïs concentre en elle tous les traits que Gide attribue aux protestants : hypocrisie, mysticisme aveugle et puritanisme. Elle a hébergé Strouvilhou et Edouard, elle abrite les faux-monnayeurs, elle permet sans les voir bien des actions douteuses : sous prétexte de communion mystique, Edouard a joué avec les sentiments de Laura, le pasteur cache un vice secret, Sarah cherche des expériences diverses, pendant qu'Armand lui sert d'entre-

1. *Les Nourritures terrestres.*
2. *Le Retour de l'enfant prodigue.*

metteur. Tous sacrifient Rachel, et personne ne soupçonne le crime que préparent les enfants. Avec la même intransigeance aveugle, la mère de Boris, en refoulant les tendances de son fils, l'accule à la névrose.

D'où vient cet aveuglement ? C'est que tous refusent le principe de « réalité » : « A mesure qu'une âme s'enfonce dans la dévotion, elle perd le sens, le goût, le besoin, l'amour de la réalité ». Des expressions toutes faites, des « variations sur des thèmes pastoraux », des « phrases consolatrices » leur masquent le réel. « Professeurs de conviction », ils se jouent la comédie. C'est ainsi qu'Azaïs « impose autour de lui l'hypocrisie »; que le pasteur s'accable d'occupations pour éviter d'y voir clair et de remettre sa vie en question; que sa femme se perd en rêveries poético-religieuses de peur de faire face au réel. Tous illustrent une variété du mysticisme ou de l'idéalisme, dont Gide montre d'autres formes, toujours associées à une confusion des valeurs : M\ :sup:`me` Sophroniska, comme Azaïs, pèche par un excès de confiance, qui lui cache la malice de Strouvilhou et la fragilité de Boris. L'idéalisme retourné de Strouvilhou, qui croit, à l'inverse d'Azaïs, que toutes les pièces sont fausses, le trompe tout autant. Les rêveries mystiques de Boris et de Bronja les détournent de l'effort de vivre. Quant à Édouard, « l'idéologue », il entretient aussi une forme de mysticisme, lui qui a besoin d'écrire pour se sentir vivre, et que sa pensée tire toujours vers l'abstrait. Bernard seul est « réaliste », et cependant, c'est lui qui aime Laura avec dévotion, et lui qui voit un ange; peut-être lui non plus n'échappe-t-il pas tout à fait à ces images que les mots nous imposent.

● « *Au dessous de l'être factice, le naïf* »

Ainsi la satire des Vedel-Azaïs conduit à une analyse et une critique de la sincérité. La sincérité n'est pas la franchise de Douviers ou d'Azaïs, car on peut mentir avec sincérité : « l'esprit faux » finit par croire « aux fausses raisons qu'il se donne » (*JFM*, p. 52, VIII-1921). Sans doute les termes comme donner le change, ruser, duper, biaiser, blouser, pallier, tricher, qui jalonnent le texte, impliquent-ils le contraire de la franchise. Pourtant, à la sincérité Gide préfère le naturel et la spontanéité. Au milieu de la deuxième partie, au centre du livre, Gide utilise une autre métaphore : la fausse pièce réelle que montre Bernard « rend un son presque juste », et Bernard voudrait, « au moindre choc, rendre un son pur, probe, authentique ». Un texte de 1923 retrouvé dans le *Journal*, et attribué à Edouard, mais écarté peut-être parce qu'il convient mieux à Bernard, exprime cette règle nouvelle qu'il se donne : « Redécouvrir, au-dessous de l'être factice, le naïf » (*Journal I*, p. 776) : or, dans les dialogues, Gide oppose souvent le naturel à l'affectation : le ton est « affecté »; les personnages « paradent », avec « forfanterie »; ils sont « factices », « fabriqués », « contrefaits »; ils « bouffonnent », ils font le « pitre », ils « jouent la comédie », ils tiennent un « rôle », ils sont « sentencieux ». Le critère de cette affectation est tout intuitif : on a vu que dans tout dialogue, l'un des personnages sert de spectateur à l'autre. Dès que l'autre tombe dans l'affectation, le spectateur éprouve « un sentiment pénible » : il est « gêné », comme en présence d'un être « contrefait » au double sens du terme.

Ainsi, être sincère, c'est être spontané. C'est pourquoi ni Edouard ni Armand ne peuvent être sincères : ils s'observent trop pour cela. Tous deux finissent, dans les mêmes termes (pp. 89 et 465), par ne plus comprendre ce que signifie le mot : ils sont trop divisés par l'esprit d'analyse, qui est exactement le fait du démon. Et Bernard ne devient lui-même que quand son amour pour Laura l'a délivré de son dialogue intérieur. D'où le paradoxe : les faux-monnayeurs sont ceux qui s'aveuglent, mais quand on veut y voir clair, la vue se brouille. Le réel échappe toujours à l'analyse, Edouard et Armand sont aussi des faux-monnayeurs.

- « *Démonétiser ... ces billets à ordre, les mots* » (p. 415)

Le personnage qui paraît le plus authentique et le plus naturel, c'est Bernard le réaliste, qui va à la découverte de sa morale. Et pourtant, il déçoit le narrateur parce qu'il parle trop bien pour être sincère. Car « les sentiments neufs ne se coulent pas volontiers dans les formes apprises » et, « aussitôt exprimés », les grands sentiments paraissent moins sincères. Toute la culture de Bernard, le trop bon élève, l'empêche d'être lui-même et le ramène finalement chez Profitendieu. Il croit « qu'on peut s'exprimer mieux par des actes que par des mots », mais il le dit au lieu d'agir. « Il a trop lu déjà, trop retenu et beaucoup plus appris par les livres que par la vie. » Pour ce nouveau Lafcadio, la spontanéité de l' « acte gratuit » est impossible. Lui aussi est faux-monnayeur.

Les ennemis de la sincérité, ce sont les mots. Déjà, Gide définissait ainsi la sincérité artistique en 1891 : « que jamais le mot ne précède l'idée » (*Journal I*, p. 28). Il y a fausse monnaie chaque fois qu'un être substitue au réel une image qui lui est communiquée par le langage. C'est pourquoi les enfants, plus que les adolescents, sont des faux-monnayeurs : ils en restent, comme Bernard avant de voir la souffrance de Laura, à la « parade » et au jeu. De là aussi vient la stupeur de Laura répétant : « j'ai un amant », quand elle découvre le lien entre les mots et le réel. Enfin, toute la littérature est une fabrique de fausse monnaie : si Passavant est un faux-monnayeur, c'est, bien sûr, parce qu'il vole ses idées à Vincent, mais surtout parce qu'il diffuse des « sentiments admis et que le lecteur s'imagine éprouver, parce qu'il croit tout ce qu'on imprime » (p. 415). Et c'est ce discrédit porté sur la littérature qui empêche Edouard d'écrire. Dans ces conditions, toute culture est de la fausse monnaie. C'est bien aussi l'idée de Strouvilhou.

Mais il ne semble pas que Gide aille aussi loin, car le seul personnage libre et spontané, c'est Lady Griffith, venue du nouveau monde, que n'encombre aucun passé, aucune culture. Or Lady Griffith est le seul personnage important qui n'entre pas du tout dans la grille des personnages, tout comme elle reste à l'écart du milieu confiné des intellectuels parisiens. De plus, Gide s'est efforcé d'en faire un personnage inconsistant, comme s'il en avait peur. Elle devrait pourtant le séduire, car elle correspond à une certaine conception de l'immoralisme qu'il prônait autrefois : de tels personnages « ne sentent peser sur eux aucun passé, aucune astreinte ; ils sont sans lois, sans maîtres, sans scrupules » ; mais, « libres et spontanés, ils font le désespoir du romancier qui n'obtient d'eux que des réactions sans valeur ». (*FM*, p. 277) Ils sont « sans épaisseur ». C'est la condamnation, au moins esthétique, de la spontanéité. Ce qui intéresse Gide, ce n'est pas le naturel, mais l'effort de libération vers le naturel. Il ne cherche pas une société sans culture, mais une culture qui se conteste elle-même.

3. LA CONFUSION DES VALEURS

Les *FM* est-il, comme le voulait G. Brée, « un roman du progrès » ? On pourrait penser au contraire que tout y est négatif, et que même la petite phrase qui le clôt n'annonce qu'une répétition des mêmes échecs. C'est peut-être un roman du renoncement plus que de l'élan de la jeunesse.

● *Un roman de l'adolescence ?*

Peut-on dire, avec Cl.-E. Magny, que *Les FM* sont le roman de l'adolescence, écrit pour Marc, un adolescent, par un aîné qui lui ressemble ? Tout semblerait le prouver. La structure éclatée de ce livre déconcentré, son rythme rapide conviennent à la « confusion des sentiments », aux « chassés-croisés affectifs » d'une bande d'adolescents, à leurs fuites et leurs indécisions. La présentation de biais, selon Edouard lui-même, est la seule qui permette « d'observer les êtres en formation ». Roman de l'adolescence, non de l'enfance, il oppose sans doute les jeunes aux vieux, mais aussi les « moyens » aux aînés déjà sclérosés et aux cadets encore informes. C'est que les cadets et les aînés portent encore ou déjà la marque du moule que leur imposent la société et ses « geôles intellectuelles ». L'adolescence a ses mythes : le refus du passé, l'authenticité et la révolte, l'exaltation de l'individu et de sa solitude, qu'incarne si bien le bâtard en rupture de ban avec les familles. C'est l'âge enfin où l'on confronte les mots au réel, pour s'apercevoir qu'ils sont démonétisés et que les valeurs qu'ils véhiculent n'ont plus cours, d'où l'alliance, dans le texte, entre le thème de la fausse monnaie et les effets de distanciation et de parodie.

Mais Edouard a 38 ans. Dans *Les FM*, l'adolescence n'est pas un âge, mais un style de vie. Dans « un monde où chacun triche », on ne trouve nulle part les valeurs transmises par le langage, pas même en soi : pris au piège d'une lucidité impossible dans un palais des glaces, on n'atteint jamais le réel. L'univers des *FM* est truqué, on y reste enfermé dans les mots, tout engagement est impossible. C'est une nouvelle version du *Traité du Narcisse*, une forme du procès que l'individualisme se fait à lui-même.

- ## *Les contrefaçons de la révolte*

On pourrait croire, à lire de telles critiques des valeurs sociales, que la révolte est positive. En fait, elle échoue toujours : Laura, Bernard et Georges reviennent à la maison; le départ de Marguerite et de Sarah, êtres faibles, semble annoncer leur perte, comme celui de Vincent l'a conduit à la folie. Boris et Bronja sont morts, qui incarnaient la pureté de l'enfance. Et peut-être y avait-il dans Lady Griffith une intransigeance dans le mal qui devait l'empêcher de vivre. Edouard enfin n'a pas écrit son roman. Bien plus, tous les personnages qui incarnent le mieux la révolte sont « contrefaits » et « affectés ». Leur révolte tombe au niveau de l'insolence. Jarry, Armand, Strouvilhou, Cob-Lafleur, tous jouent un rôle et font des discours. Ce sont des personnages parodiques, dans la mesure où leur attitude est exactement, mécaniquement, l'inverse de celle des autres : Armand détruit le lyrisme par la grossièreté, Strouvilhou « aime à retourner les problèmes ». Même psychologiquement, tous deux sont voués à l'échec, parce qu'ils n'ont que dégoût pour eux-mêmes. Ce sont eux qui finissent par se compromettre avec ce qu'ils dénigrent, qui se mettent aux ordres de Passavant, dont la réussite sociale est solide. Leur révolte même sert alors la société qu'ils voulaient détruire; elle est « récupérée », dirait-on aujourd'hui.

- ## *« Le mariage du ciel et de l'enfer »*

L'intention de Gide était peut-être de faire des *FM* un roman métaphysique, comme les romans de Dostoïevski où le drame psychologique que vivent les personnages peut donner lieu à une interprétation philosophique. En effet, le 2 janvier 1921, un « traité de la non-existence du diable » devait « devenir le sujet central de tout le livre » (*JFM*, p. 32). Mais Gide n'a pas inséré dans le roman cette conversation sur le diable rapportée à la fin du *JFM*, et qui devait être « une des clés de voûte du livre ». De son intention première, il est resté peu de choses : sans doute le diable « circule-t-il incognito » dans le texte, lorsque Bernard, Vincent, Edouard prennent une décision importante. Mais il n'apparaît que dans la première partie et ne joue de rôle capital qu'auprès de Vincent, « le possédé », qui disparaît presque complètement ensuite. Dans les deux dernières parties, le démon n'apparaît que dans des expressions métaphysiques, ou seulement comme une illusion des personnages : Vincent se croit possédé du démon, Boris a peur de l'enfer, La Pérouse confond Dieu et le diable.

Comment expliquer cette modification du dessein premier ? Dans la première partie, la révolte de Bernard et de Vincent contre la morale établie est plus psychologique que métaphysique. Seules les apparitions artificielles du diable donnent au texte une dimension philosophique. Ensuite, il semble que Dostoïevski, Nietzsche et Blake aient aidé Gide à préciser sa pensée. Et Armand, Strouvilhou et La Pérouse, dont l'importance croît aux dépens des autres personnages, posent les problèmes en termes métaphysiques. Tous trois nient les valeurs : Armand est accablé par son impuissance à atteindre le vrai, par une sorte d'insuffisance vitale. Le nietzschéen Strouvilhou exalte, sans la nommer, la volonté de puissance, et rend la religion responsable de l'affaiblissement de l'humanité. Pour La Pérouse, l'aveuglement où il a vécu n'est pas dû à la société, mais à Dieu lui-même, un Dieu cruel qui se confond avec Satan et se plaît à duper les hommes. Sans doute on pourrait retrouver là les idées énoncées par Blake dans *Le mariage du ciel et de l'enfer*; il y affirme en même temps des propositions contradictoires, pour lui le bien devient le mal et inversement. Mais Blake renverse les valeurs pour exalter la joie, tandis que, dans *Les FM*, les révoltés, et surtout La Pérouse, ne trouvent que la souffrance. Tous trois sont grinçants, grimaçants, sentencieux dans leur désespoir.

Pourtant, dans un monde où les valeurs sont niées, Gide paraissait proposer la solution d'une morale individualiste : « il est bon de suivre sa pente, pourvu que ce soit en montant ». Résume-t-il là la « leçon » du livre ? Ce n'est pas sûr, car Bernard, finalement, se rallie au style de vie de ses aînés. Son rôle s'efface à la fin du roman, au profit des personnages négatifs. Il est vrai qu'on ne peut pas attribuer à l'auteur le désespoir de La Pérouse parce qu'il est présenté de manière parodique, mais il n'est pas certain que la morale individualiste de Bernard et d'Edouard ne soit pas elle-même mise en cause. *Les FM* feraient alors le procès de l'individualisme, acculé à une impasse, sans proposer de solution.

Conclusion

« Ce qui est mis en cause ici, c'est la notion même de *l'homme* sur laquelle nous vivons ». Cette phrase de H. Massis à propos de *Dostoïevsky* paru en 1923, Gide demandait ironiquement à son auteur la permission de l'inscrire en épigraphe à l'un des chapitres des *FM*.

En effet, l'intention de Gide était bien de contester, à travers une parodie des formes romanesques anciennes, une certaine conception de l'homme, celle sur laquelle reposait le roman réaliste. Le rythme de ce « roman-ludion » [1], les ellipses de cette « tour Eiffel du roman » [2], la présentation indirecte des faits, les glissements d'un point de vue à l'autre, l'insertion dans le roman de sa propre critique, confirment la signification du titre et les contenus explicites des dialogues : il ne s'agit pas seulement d'une satire de la société, mais de l'évocation d'un monde qui se défait. Les vérités et les valeurs y sont toujours relatives, l'individu, réduit aux seules forces de son intelligence, ne peut sortir de sa subjectivité pour atteindre un réel existant hors de lui. Tout effort de lucidité aboutit au vertige, comme dans un jeu de miroirs où l'image du narcisse se reflète à l'infini, « en abyme ».

Ce roman semble donc un constat d'échec. Les révoltés sont condamnés à rentrer dans le rang ou à se perdre. Les adolescents en quête de spontanéité sont voués à la sclérose et à l'imitation inéluctable de leurs aînés. Faute de pouvoir se dégager de son propre langage, le romancier qui prétend inventer des formes nouvelles en est réduit à l'impuissance, ou se limite à la parodie.

C'est sans doute la raison pour laquelle *Les FM* n'a paru réussi qu'aux « gens de métier », malgré un mouvement allègre et un ton ironique, malgré la perfection d'une technique astucieuse. Sans doute fait-il partie, comme le dit Sartre, de ces « œuvres vivaces et toutes négatives » que sont les « anti-romans ». Mais il n'est pas sûr que la contestation de la littérature par elle-même puisse être populaire. *Les FM* paraissent le produit d'une culture et d'une classe capables de se mettre en cause, mais impuissantes à se renouveler.

---

1. Cl.-E. Magny, *op. cit.*, p. 242.
2. G. Brée, *op. cit.*, p. 306.

Annexes

▶ Bibliographie critique sur « Les Faux-monnayeurs »

1. Pour comprendre la genèse du roman :

Le Journal des Faux-Monnayeurs, NRF, 1927, 1967.
Le Journal, NRF, 1951.
Correspondance André Gide-Roger Martin du Gard, NRF, 1968, t. I.
Dostoïevsky, Plon, 1923.

2. Pour replacer « les Faux-monnayeurs » dans l'œuvre romanesque de Gide et l'évolution du genre :

Éd. des *Romans* de Gide, avec introduction de Maurice Nadeau, et notice par Yvonne Davet et J.-J. Thierry : La Pléiade, 1958.

GERMAINE BRÉE : *André Gide, l'insaisissable Protée*, Les Belles Lettres, 1953.

JEAN DELAY : *Introduction à la Correspondance André Gide-Roger Martin du Gard*, Gallimard, 1968.

CHARLES DU BOS : *Dialogue avec André Gide*, Corréa, 1929, 1947.

W. FOLMGANG HOLDEI : *Theory and practice of the novel*, Droz, 1968.

JEAN HYTIER : *André Gide*, Charlot, 1938, 1946.

PIERRE LAFILLE : *André Gide romancier*, Hachette, 1954.

JACQUES LEVY : *Journal et Correspondance*, Éd. des Cahiers de l'Alpe, 1954 (Étude sur *Les Faux-monnayeurs* et l'expérience religieuse).

CLAUDE-EDMONDE MAGNY : *Histoire du roman français depuis 1918*, Le Seuil, 1950.

ROGER MARTIN DU GARD : *Notes sur André Gide*, Gallimard, 1951.

GUY MICHAUD : *L'œuvre et ses techniques*, Nizet, 1957 (pp. 152-163 : *La genèse des FM*; (pp. 164-175 : *L'art de la fugue dans Les FM*).

MICHEL RAYMOND : *La crise du roman, des lendemains du Naturalisme aux années 20*, José Corti, 1967.

Le roman depuis la Révolution, Armand Colin, 1967.

3. Articles sur « les Faux-monnayeurs » en français :

BAYRAV : « *Syntaxe des FM* », *Dialogues* n° 2, janvier 1951.

MAURICE BLANCHOT : « Gide et la littérature d'expérience », *L'Arche*, n° 23, 1947 (reproduit dans *La part du feu*, Gallimard, 1949).

CURNIER : « André Gide, Dostoïevski et les problèmes du roman contemporain » : *L'information littéraire*, 2e année, n° 5 (nov.-déc. 1950).

BERNARD DUCHATELET : « André Gide, Les FM », *le Français dans le monde*, septembre 1969.

PIERRE KLOSSOVSKI : « Gide, Charles du Bos et Les Démons », *les Temps modernes*, 6e année, n° 59 (septembre 1950).

Sujets de réflexion ◄
sur « les Faux-monnayeurs »

1. Chercher des relations d'opposition (symétries, contrastes) entre les éléments du texte : entre certains épisodes, certains personnages, certaines actions.

2. Étudier la technique de la présentation indirecte à propos d'un personnage (Vincent, Bernard ou Georges) ou d'un fait.

3. Comparer la « mise en abyme » dans *Les cahiers d'A. Walter*, *Paludes* et *Les Faux-monnayeurs*.

4. L'image du narrateur : son portrait, son rôle. Dans quelle mesure se distingue-t-il de l'auteur ?

5. Les éléments autobiographiques et leur mise en œuvre romanesque, à partir d'une comparaison avec *Si le grain ne meurt*.

6. L'idéologie : contenu, modes d'expression (signification du titre, de l'intrigue, de la relativité des points de vue, de la parodie, etc.).

7. Étude comparative des théories du roman dans le *Journal*, le *JFM*, *Les FM* et *Dostoïevsky*.

8. Individu et société : idées explicitement formulées sur le sujet. Image et rôle des individus et des groupes dans le déroulement de l'action.

9. Les conflits des générations : expression romanesque et signification sociologique.

10. *Les FM*, roman de l'adolescence (d'après la mobilité des personnages, le rythme du récit, la forme et le contenu des dialogues, la mise en question du langage).

11. Les personnages féminins : traits communs, classification; conception de la féminité.

12. L'anarchisme : théories, types humains, esthétique.

13. La mise en question de la culture classique.

14. La désinvolture : chez les personnages, dans la technique romanesque.

15. *Les FM* et *Les Caves du Vatican* : techniques romanesques et contenu idéologique.

16. Le thème de l'adolescence dans *Les FM* et *Les Enfants terribles*, de Cocteau.

17. L'imitation des *FM*, dans *Contrepoint*, de Huxley.

18. Comparaison entre les techniques romanesques de Gide et de Martin du Gard, d'après *Les FM* et *J. Barois*, ou un volume des *Thibault*.

19. Comparaison des techniques romanesques dans *Les FM*, et un « Nouveau roman » (*Les Gommes*, de Robbe-Grillet, ou *Le planétarium*, de N. Sarraute...).

20. Chercher comment on pourrait adapter *Les FM* pour le cinéma ou la télévision. Quels problèmes pose le caractère abstrait du texte ? De quelles ressources dispose la caméra pour la présentation indirecte des faits, pour la rapidité et l'irrégularité du rythme ?

Imprimé en France par l'imprimerie Hérissey
Dépôt légal : 4e trimestre 1977
No d'édition : 3685 — No d'impression : 20573